(probio
simbi



(pg. 56)
Kombucha –

P. 57-61 Good to eat list

P. 61-62 Not good to eat list

# LA INCREÍBLE CONEXIÓN INTESTINO CEREBRO

Si este libro le ha interesado y desea que lo mantengamos informado de nuestras publicaciones, puede escribirnos a comunicacion@editorialsirio.com, o bien suscribirse a nuestro boletín de novedades en: www.editorialsirio.com

Diseño de portada: Editorial Sirio, S.A.



EDITORIAL SIRIO, S.A.
C/ Rosa de los Vientos, 64
Pol. Ind. El Viso
29006-Málaga
España

NIRVANA LIBROS S.A. DE C.V.
Camino a Minas, 501
Bodega nº 8,
Col. Lomas de Becerra
Del.: Alvaro Obregón
México D.F., 01280

DISTRIBUCIONES DEL FUTURO
Paseo Colón 221, piso 6
C1063ACC
Buenos Aires
(Argentina)

www.editorialsirio.com
sirio@editorialsirio.com

I.S.B.N.: 978-84-16579-97-6
Depósito Legal: MA-55-2017

Impreso en Imagraf Impresores, S. A.
c/ Nabucco, 14 D - Pol. Alameda
29006 - Málaga

Impreso en España

Puedes seguirnos en Facebook, Twitter, YouTube e Instagram.

Camila Rowlands

# LA INCREÍBLE CONEXIÓN INTESTINO CEREBRO

# INTRODUCCIÓN

El propósito de este libro es el de acercar al lector una fascinante y, de momento, silenciosa revolución. No es un libro dirigido a profesionales, es un libro dirigido a curiosos e interesados que pretende ser un puente entre estos y aquellos.

En mi ir y venir –exploradora y alerta– por seminarios, talleres y varias investigaciones sobre la nutrición y la alimentación consciente, me topé con unas cuantas sorpresas que me condujeron hacia un tema *a priori* complejo, pero tremendamente tentador: la conexión intestino-cerebro. Aunque en principio me pareció que quizás una cuestión tan *científica* se alejaba del campo en el que me muevo habitualmente, enseguida fui descubriendo cómo, en el fondo, se trataba simplemente de un paso adelante sin desviarme ni un ápice de mi camino.

Aquel nuevo mundo por descubrir que se extendía ante mis ojos y mi mente me confirmaba de forma categórica y apasionante que la recuperación de nuestra cordura como especie pasa por el regreso a nuestra esencia salvaje, y además me aportaba datos científicos que esgrimir como espada frente a los escépticos.

Nunca antes se había mostrado ante mí con tal claridad la enorme verdad que encierra el aforismo «somos lo que comemos». Porque nunca antes había visto tan meridianamente que el miedo, la ira, el amor, la felicidad, la paz de espíritu, el equilibrio emocional... (en definitiva, lo que somos, lo que vivimos) pertenecen al ámbito de las vísceras, y que, quizás, en ellas habite y se exprese el esquivo subconsciente.

Lo que voy a exponer en las páginas que siguen es una mera introducción. Una invitación, más bien. Mucho de lo que cuento parece ciencia ficción, pero te aseguro que no lo es. Y además, ¿qué hecho científico no ha sido la ficción de un visionario hasta que se ha visto confirmado empíricamente? Aquí te ofrezco unas cuantas confirmaciones y te invito a atravesar la puerta que algunos visionarios nos han entreabierto a todos.

Prepárate para el asombro.

Gracias por acompañarme.

CAMILA ROWLANDS

# UNA BUENA NOTICIA: TIENES DOS CEREBROS
## (Y al menos uno lo usas seguro)

Hasta hace bien poco, se creía que el mando absoluto sobre el resto de los órganos lo ejercía el cerebro, que desde lo alto dirigía, por ejemplo, la actividad intestinal. De manera que el intestino era considerado por la ciencia como un mero subordinado que acata las órdenes de ese *jefe* todopoderoso que habita en la zona noble de la torre. Sin embargo, hoy se sabe que el intestino ostenta el mismo rango –como mínimo– que el cerebro craneal. Hasta tal punto que ya se habla de un segundo cerebro (y no en sentido metafórico: el intestino es, literalmente, nuestro segundo cerebro).

Sí, has leído bien: lo que conocemos vulgarmente como «tripas» es en realidad un cerebro y su función neuronal es extraordinariamente semejante a la de ese otro cerebro de sobra conocido y con el que guarda numerosas similitudes a nivel bioquímico y celular. Y no solo eso, nuestro cerebro craneal no podría subsistir sin nuestro cerebro intestinal, mientras que este sobreviviría sin problema sin necesidad de aquel.

Ambos están en constante comunicación, pero contrariamente a lo que cabría suponer, es el segundo cerebro el que envía más mensajes al llamado primer cerebro. Los últimos estudios indican que el noventa por ciento de las fibras del nervio vago –el nervio que se extiende desde el bulbo raquídeo hasta las cavidades del tórax y el abdomen y que rige muchos procesos orgánicos– son aferentes, es decir, transmiten señales ascendentes, esto es, del intestino a la cabeza. El nervio vago funciona básicamente como un canal de información desde el tracto digestivo hasta el cerebro.

Así pues, nuestras tripas tienen mucho más que decirle al cerebro que el cerebro a ellas. Y como veremos a lo largo de este libro, la función de este flujo de información intestino-cerebro, definitivamente, no se limita a avisarnos de cuándo nos toca comer.

Entre las dos capas de músculo que revisten las paredes intestinales se extiende una red de neuronas cuya estructura es la misma que la de las neuronas cerebrales, con las que comparten varias capacidades, entre ellas la capacidad para liberar importantes neurotransmisores. Se trata de una red extensísima de más de cien millones de células nerviosas (casi la misma cifra que alberga la médula espinal). La gran diferencia reside en que este cerebro intestinal no está capacitado para generar pensamiento consciente, y por lo tanto ni razona ni toma decisiones. Es decir, el segundo cerebro siente, pero no piensa, aunque sí parece «saber» y «percibir» intuitivamente. Es más, los sorprendentes resultados de varias investigaciones de vanguardia apuntan a que este segundo cerebro tiene memoria y puede aprender. Incluso se está empezando a considerar la hipótesis de que tiene capacidad de experimentar

–no solo reflejar– emociones básicas como el miedo y sufrir sus propios trastornos neuróticos (ahí entrarían en escena las úlceras y dolencias crónicas como la gastritis, por ejemplo).

Otra curiosa similitud, que da que pensar, tiene que ver con los ciclos del sueño. Durante el descanso nocturno la actividad digestiva cesa y el sistema nervioso entérico emite una suerte de ondas lentas en forma de contracciones musculares en ciclos coincidentes con los del cerebro. Ahí puede residir la base biológica del saber popular que afirma que una cena excesivamente copiosa genera pesadillas.

Cada vez es más evidente que el cometido de esta red neuronal que tapiza todo el tubo digestivo y que constituye lo que se conoce como sistema nervioso entérico va mucho más allá de la función digestiva, que es de por sí bastante compleja: conducir la comida a través de todo el tubo digestivo mediante los movimientos ondulatorios peristálticos, secretar jugos digestivos, digerir los alimentos, absorber los nutrientes, transportar este material hasta el sistema circulatorio, expulsar los productos de desecho, etc.

Esta hermandad cerebral parte desde el mismísimo nacimiento de ambos órganos. En lo que se refiere a desarrollo embrionario, los dos cerebros tienen el mismo origen. El sistema nervioso central (SNC) y el sistema nervioso entérico (SNE) provienen de la cresta neural, una población de células migratorias que aparece en etapas tempranas del proceso. Una vez que migran, algunas de ellas formarán parte del SNC y otras acabarán convirtiéndose en el SNE. De hecho, también existe un enorme parecido visual entre nuestro cerebro y nuestros intestinos, comprimidos unos y otros en sus correspondientes «cajas». El nervio vago, que une ambos sistemas, aparecerá posteriormente, pero está claro que están destinados a entenderse desde el momento mismo de la gestación.

En la crónica de la evolución se sabe que este segundo cerebro, el cerebro intestinal, fue el primero en aparecer. Fue, en realidad, el cerebro original. Organismos unicelulares primitivos –aparecieron hace más de tres mil quinientos millones de años– que consistían en un mero tubo digestivo –a partir del cual luego se desarrollaría el SNE– sobrevivían adheridos a las rocas en espera de que el alimento «pasara» casualmente por allí. Luego, con la evolución de la vida en la tierra, estos organismos desarrollarían sistemas más complejos y aparecería el SNC, necesario para una existencia cada vez más proactiva.

Aunque evidentemente el cerebro craneal es el que ha marcado la diferencia en nuestra evolución y gracias a él y a sus capacidades nuestra existencia se ha expandido y continúa expandiéndose, también nos ha vuelto sordos a aquello que percibimos a través de nuestro intestino. Hemos acallado nuestra parte animal y con ella unas sutilísimas capacidades perceptivas en estado puro, sin filtro ninguno.

Es importante que aprendamos a escuchar lo que dictan nuestras entrañas. Mejor dicho: es importante que recordemos lo que hace miles de años sabíamos. Nuestros ancestros se guiaban por sus instintos e intuiciones (su actividad mental aún era muy rudimentaria), es decir, se guiaban más bien por su cerebro intestinal.

## El nervio de la compasión

El nervio vago –el décimo de los doce pares de nervios craneales– es un nervio fascinante. Entre sus muchas funciones está la de producir esas ondas calurosas que se expanden por nuestro pecho cuando nos emocionamos o algo nos conmueve. Las mismas ondas que provocan esa tibieza interna que sentimos cuando nos abrazan. Por eso se le llama el nervio de la compasión. Este curioso apodo se lo debe al neurólogo Stephen W. Porges, que lo denominó así al descubrir la facultad «amorosa» de gran parte de su actividad.

En investigaciones recientes varios científicos han tirado del hilo y apuntan a que el sobrenombre es más ajustado de lo que sospechaban. Estos científicos sugieren que la activación del nervio vago está directamente relacionada con sentimientos de cuidado, protección y ética, conclusión a la que llegaron después de observar que individuos que presentaban un alto grado de activación de este nervio en estado de reposo tendían a experimentar y expresar sentimientos elevados de compasión, altruismo y gratitud.

En un estudio de 2010 publicado en la revista *Psychological Bulletin*, Dacher Keltner –doctor en psicología por la Universidad de Berkeley– y su equipo documentaron cómo al mostrar imágenes de un gran sufrimiento masivo a los participantes se desencadenaban en ellos fortísimas reacciones de compasión, al tiempo que se activaba su nervio vago. Además, hoy se sabe que su estimulación puede incrementar nuestras habilidades cognitivas, calmar nuestro ánimo y equilibrar nuestro comportamiento. No es de extrañar que algunos autores se refieran a este nervio de la compasión como la conexión entre el cuerpo y el espíritu. Y si, como hemos visto, el noventa por ciento de las fibras del nervio vago son aferentes, es decir, trasmiten señales en sentido ascendente, del intestino a la cabeza, tal vez cuando hablamos de reacciones viscerales estamos siendo mucho más literales de lo que creíamos.

## DE «CENTRO ENERGÉTICO» A MERA «BARRIGA». NUESTROS ANTEPASADOS Y NOSOTROS: MANERAS MUY DIFERENTES DE MIRARNOS EL OMBLIGO

Todo esto ya lo intuían los sabios del antiguo Egipto. Los doctores de la cuenca del Nilo ubicaban las emociones en los hediondos intestinos y consideraban al estómago como la «desembocadura» del corazón, órgano de los sentimientos, el entendimiento y la inteligencia. En el Papiro Ebers, uno de los primeros tratados médicos que se conocen (aproximadamente 1550 a. de C.), el corazón «atemorizado» aparece directamente asociado a una mala digestión. En su mitología encontramos un ave relacionada con el tema. Según parece, el ibis, pájaro sagrado para los egipcios y asociado al dios de la salud, Thoth, fue la principal fuente de inspiración para los enemas –que empezarían a aplicarse como terapia allá por el 2500 a. de C.– ya que, utilizando su largo pico curvado, se introducía agua en el ano para limpiarlo. Esta práctica llegó a ser tan valorada y sus efectos tan deseados que se convirtió en hábito generalizado de toda la población (era común realizarla al menos una vez al mes). Hasta tal punto se consideraba importante esta limpieza que existía en la corte un médico cuya función era administrar los enemas a los monarcas y sus allegados. Ese peculiar doctor era llamado «guardián del ano», según reza una inscripción en la columna de Isis. Y la limpieza –ya fuera hogareña o palaciega– no se consideraba solo física: al aplicarse los enemas también limpiaban todos los desechos que vertía el corazón herido, sobrepasado y confundido.

La medicina ayurvédica también consideraba –y considera– este tipo de limpiezas mucho más que una práctica biológica. Para esta medicina ancestral se trata, sobre todo, de una limpieza energética y, por tanto, emocional.

En muchos textos de diferentes corrientes místicas y religiosas se habla con toda claridad de la relación entre la limpieza corporal y la pureza de espíritu. Y no solo la pureza espiritual: hay numerosas crónicas que atestiguan cómo los romanos asociaban el «alivio» intestinal con la claridad de ideas (no solo las emociones y la energía se ligan a las tripas, también el entendimiento). Por ese motivo, los baños públicos –con sus largos bancos huecos– eran escenario habitual de brillantes disertaciones políticas, filosóficas, etc. Ante semejantes despliegues de elocuencia, los olores quedaban en segundo plano.

Otras muestras de respeto hacia nuestros «despreciados» intestinos las encontramos también en las delicadas medicinas orientales, para las que la zona del vientre es nuestro auténtico centro vital. En realidad no se refieren a ningún órgano en concreto sino a un punto perfectamente localizado, un punto situado por debajo del ombligo denominado *dan tien* (cuya traducción literal sería «área del vientre») en la medicina china y *hara* en las artes marciales japonesas. En ese centro se integran mente y cuerpo. Es un centro energético en el que se ha de concentrar el *chi* (la energía universal o cósmica), y con él, el poder personal. Se trata de una brújula interna cargada de sabiduría. Desde el punto de vista oriental, el secreto de la salud y el bienestar –entendidos como un estado de serenidad y calma profundas unido a la integración correcta de todos los sistemas orgánicos– residiría en la capacidad de conectar con ese centro. Ese es precisamente el objetivo de disciplinas como el taichí o el chikung.

En palabras de K. G. Dürckheim, «el cuidado del *hara* ejerce una virtud curativa con respecto al nerviosismo, bajo cualquier forma que se presente».

En la misma línea, el Chi Nei Tsang es una técnica milenaria de sanación taoísta que parte de la premisa de que el abdomen es el centro del organismo y de nuestras emociones. Esta disciplina considera que la zona del vientre es el área de conexión energética de nuestro cuerpo con la fuente de energía cósmica (la traducción más ajustada de *chi* es «energía» y de *nei tsang* es «vísceras») y su objetivo consiste en liberar la energía nociva atrapada en lo más profundo para así restaurar la vitalidad.

Es el hombre moderno el que ha envuelto todo el tema intestinal en un espeso halo de tabú y displicencia, cuando no de repugnancia. Supongo que forma parte de esa desnaturalización que sufrimos al habernos alejado tanto de nuestra esencia y al habernos soltado de la mano de nuestra madre naturaleza. Pero nuestra madre siempre sale a buscarnos. Y nos encuentra.

### La acupuntura abdominal del doctor Bo Zhiyun

Hay una anatomía de la energía que no aparece en nuestros modernos tratados de medicina. El doctor Zhiyun explica que su particular método, desarrollado desde hace más de veinte años, principalmente en China aunque también en Estados Unidos y Europa, parte de la certeza de que hay puntos específicos en el abdomen que se corresponden con problemas neurológicos. El punto de acupuntura denominado *Shen* es el encargado de distribuir el *chi* en todo el cuerpo; al estimularlo –a él y a otros puntos de acupuntura de la región abdominal–, es posible armonizar los órganos que estén sufriendo alguna disfunción o algún desequilibrio. Al hacerlo, estamos ajustando la armonía de todo el organismo.

En el abdomen se encuentra un complejo sistema de regulación y control. Se forma durante la fase embrionaria y es el sistema madre de todo el sistema de meridianos que conocemos.

Aunque la aplicación de las agujas es superficial el efecto energético afecta a los órganos a niveles profundos. Para la medicina china los órganos y las vísceras están directamente conectados con nuestro sistema emocional y para curar un trastorno en el ámbito de las emociones hay que buscar el origen orgánico.

La técnica de acupuntura del doctor Zhiyun no solo es efectiva en dolencias óseo-musculares y trastornos del sistema locomotor; también puede influir muy positivamente en trastornos psicológicos y en problemas relacionados con el sistema nervioso, los procesos cognitivos y el equilibrio emocional. Se está aplicando con éxito en el tratamiento de la ansiedad, la depresión e incluso en enfermedades de la envergadura del párkinson o el alzhéimer, con resultados evidentes que la medicina occidental no puede explicar. El doctor Zhiyun lo ha documentado con resonancias magnéticas cerebrales realizadas a pacientes sanos antes y después de sesiones de acupuntura abdominal. Dichas imágenes evidencian que tras el tratamiento el número de áreas del cerebro activadas aumenta.

## UNA NOTICIA NO TAN BUENA: EN TU SEGUNDO CEREBRO MANDAN LOS *BICHOS*
### (*Pájaros* y bacterias: a cada cerebro lo suyo)

¿Qué pensarías si alguien te dijera que en tu interior habitan muchísimos más microorganismos ajenos a ti que células humanas? ¿Que tú, más que un individuo, eres un ecosistema en el que billones de microorganismos viven organizados y en continua actividad? ¿Que si se tiene en cuenta tu ADN, llamarte «ser humano» es una inexactitud? (Por cada célula con ADN humano tenemos en nuestro cuerpo diez microorganismos que NO son humanos).

¿Creerías a ese alguien si además te dijera que tu salud, no solo física –y he aquí la gran sorpresa– sino también mental, depende de las bacterias que habitan tus intestinos y que ocupan más terreno en ti que tú mismo, y que incluso dichas bacterias determinan en gran medida tu comportamiento y tu personalidad?

Quizás después de leer los dos párrafos anteriores, estés pensando: «Mmmm... Bueno, no sé..., depende de quién me lo diga».

Vaya por delante que esa me parece una premisa más que razonable en estos tiempos en los que todo tipo de panaceas y teorías científicas circulan por las redes alocadamente, sin filtro. Afirmaciones que se van distorsionando como si se tratara de mensajes enviados a través del «teléfono loco», aquel desternillante juego infantil en el que un mensaje que partía como plenamente coherente, después de pasar por varias bocas y orejas, llegaba convertido en disparate al oído del último jugador.

Pues bien, resulta que esta teoría tan excéntrica la han lanzado numerosos investigadores entusiasmados por el tremendo potencial, en lo que a salud se refiere, de este microuniverso que nos habita. Hoy se sabe que la mayor parte de la vida en la Tierra es microbiana y que los animales están compuestos, más que de cualquier otra cosa, de comunidades de microorganismos. Y entre los animales se incluye, por supuesto, al ser humano. Para nosotros, como para el resto de los animales, estas comunidades son un componente absolutamente esencial de lo que somos. Un ser humano no es un individuo, es la suma del individuo y los microorganismos que en él se hospedan (de hecho, como ya he indicado, poseemos diez veces más bacterias que células propias. La *población* total de bacterias en nuestro organismo puede llegar a pesar entre uno y dos kilos). Y uno y otros evolucionan a la par y se adaptan en una relación simbiótica en la que la ayuda mutua es absolutamente necesaria para la subsistencia.

En realidad el ser humano es un recién llegado (aparecimos hace tan solo doscientos mil años). Sin microbios no existiríamos, pero si desapareciéramos no creo que ninguna especie nos echara de menos, ni siquiera los microorganismos.

Ahora bien, no nos confundamos: los microbios actuales no son como los de antes, los microbios actuales están tan evolucionados como nosotros y son infinitamente más resilientes. Ante una catástrofe planetaria podrían readaptarse y sobrevivir. El motivo por el que nadie se molestó en buscar bacterias en el estómago antes de la década de los setenta del pasado siglo era porque la comunidad científica creía que no podían vivir en un medio ácido. Y resulta que sí, que sí pueden, lo que las convierte –cuando las circunstancias lo requieren– en enemigos difíciles de vencer ya que para sobrevivir se adaptan a situaciones extremas e incluso pueden llegar a transformarse en brutales asesinos. Son los organismos indiscutiblemente triunfadores a nivel evolutivo –de hecho, la vida nació de una bacteria ancestral común, y durante casi tres mil millones de años solo existieron bacterias en la Tierra–, y esto es así, entre otros motivos, porque pueden mutar con total facilidad.

Se podría decir que solo antes de nacer somos cien por cien humanos. Una vez que salimos al mundo exterior lo somos únicamente en un diez por ciento. Sorprendente, ¿verdad? Yo diría que hasta inquietante, y desde luego hace que se tambalee todo un sistema de creencias. Y esto tan difícil de asumir sucede porque nuestros compañeros bacterianos son reclutados desde el momento del parto y durante la lactancia, a lo largo de la cual, entre otros procesos, los azúcares tomados de la leche materna, que el neonato no puede digerir, actúan como fertilizantes de la flora intestinal, o mejor dicho, de la microbiota (más adelante explicaré el término). «Activamos» la microbiota en el momento de nacer: a partir del instante de la exposición posnatal comenzamos a desarrollar un ecosistema bacteriano personal. Si es por parto natural, la transmisión bacteriana se produce de forma directa de la madre al bebé cuya piel al atravesar el conducto vaginal y al entrar en contacto con las heces y los fluidos de la madre, se impregna de bacterias que despiertan su inmunidad. Y no solo por vía tópica, también vía oral. A estas bacterias luego se suman las «tragadas» en la primera bocanada de aire cuando rompemos a llorar con la ayuda del azote de rigor.

Sin embargo, los niños nacidos por cesárea no entrarán en contacto con las bacterias vaginales y fecales de su madre y adquirirán una macrobiota totalmente diferente a aquellos que han experimentado un parto natural. Los bebés nacidos a través de intervención quirúrgica son colonizados por otro tipo de microorganismos, aquellos que se originan en el ambiente hospitalario y los que provienen del contacto con el personal de atención sanitaria. Y son colonizados a través de la piel, algo que se puede considerar en cierto modo antinatura. Las diferencias son muy marcadas. Por ejemplo, en la microbiota de los bebés nacidos por parto natural predominan las bifidobacterias, importantísimas porque inhiben el crecimiento de microorganismos perjudiciales, estimulan la función inmunitaria, previenen la diarrea, sintetizan vitaminas y otros nutrientes, protegen contra el cáncer y ayudan a digerir almidones complejos y fibra dietética), mientras que los traídos al mundo por medio de cesárea carecen por completo de ellas.

La lactancia también es determinante y refuerza y alimenta toda la colonia adquirida por el bebé a partir del momento del alumbramiento. Los niños amamantados desarrollan un sistema inmunitario exponencialmente más eficaz que el desarrollado por niños alimentados con leche de sustitución. Los recién nacidos cuentan con un sistema inmunitario completo pero inmaduro y en su maduración los microorganismos intestinales juegan un papel fundamental ya que sirven de estímulo inmunogénico, esto es, capaz de generar una respuesta inmune. Por eso es tan importante en este sentido la leche materna, porque, además de proporcionar al niño el aporte necesario en cuanto a calorías, vitaminas y proteínas, es rica –y esto es lo que la convierte en insustituible– en componentes específicos de defensa (las bacterias de la microbiota, por ejemplo). Estudios prospectivos han demostrado, sin lugar a dudas, que la morbilidad, en cuanto a enfermedades infecciosas se refiere, es mucho más elevada en niños alimentados artificialmente que en niños amamantados.

Aproximadamente a los dos años y medio el niño ya habrá desarrollado una comunidad microscópica totalmente madura.

Estos diminutos huéspedes que se comportan como un solo órgano y cuya mayor concentración la encontramos precisamente en nuestro segundo cerebro (el noventa por ciento aproximadamente), están despertando tal interés que en la actualidad se han convertido en el punto de mira de un gran número de investigadores embarcados en la búsqueda de nuevas terapias efectivas contra todo tipo de trastornos neuropsicológicos –incluyendo trastornos complejos considerados «incurables» y cuyo origen y desarrollo está envuelto, aún hoy, en una nebulosa de incógnitas, como son el alzhéimer y el autismo.

**Consecuencias a corto, medio y largo plazo del alumbramiento por cesárea:**

- Un ochenta por ciento más de posibilidades de padecer enfermedad celíaca
- Aumento del cincuenta por ciento en el riesgo de desarrollar obesidad
- Riesgo tres veces mayor de desarrollar TDAH
- Riesgo cinco veces mayor de desarrollar alergias
- Riesgo doble de padecer algún trastorno del espectro autista
- Un setenta por ciento más de posibilidades de desarrollar diabetes tipo I

## LA MICROBIOTA: LAS FUERZAS DEL BIEN Y DEL MAL TAMBIÉN LUCHAN EN TU MICROUNIVERSO INTESTINAL

Vistas a través del microscopio, nuestras entrañas son un auténtico microplaneta con diversas zonas climáticas y múltiples hábitats. Un ecosistema, con jardines, zonas pantanosas, cuevas, humedales, bosques tropicales..., en el que habitan variadas formas de vida. Hay especies que son vegetación, otras que se alimentan de esa vegetación y otras que se alimentan de ellas. Hay plácidos herbívoros que tienen que convivir con terribles depredadores. Un ecosistema en toda regla. Y esto es lo que se denomina microbiota.

Más allá de este ecosistema básico, y esto es lo insólito, en nuestras entrañas también se desarrolla una suerte de sociedad minúscula, en la que honrados ciudadanos cumplen sus obligaciones diarias y en la que una guardia perfectamente entrenada patrulla incansablemente velando para que se mantengan la ley y el orden. Esta policía microscópica está compuesta por las células del sistema inmunitario y, como en cualquier sistema que se precie, las células que vigilan deben ser a su vez vigiladas para que en el ejercicio de sus responsabilidades no caigan en la corrupción o en el abuso de poder.

Siguiendo con el juego de los símiles, en este planeta microscópico la brutalidad policial estaría representada por unos antidisturbios excesivamente vehementes y violentos, que ante cualquier atisbo de amenaza cargan a ciegas y reducen no solo a los peligrosos sino también a los pobres viandantes que pasaban por ahí. O lo que es lo mismo: un sistema inmunitario que se activa con demasiada facilidad y que necesita ser regulado y vigilado por los ecuánimes agentes de asuntos internos. Los microbios que pueblan nuestro organismo y que vigilan a estas fuerzas policiales/celulares del sistema inmunitario vendrían a ser esos incorruptibles agentes.

Estos cien billones de microscópicas criaturas que cohabitan en nuestro sistema digestivo y que funcionan e interactúan como un auténtico ecosistema metabólicamente activo y muy versátil componen lo que antes llamábamos flora intestinal y que actualmente se conoce como microbiota (ahora sabemos que lo de «flora» era inexacto; nada que ver con el reino vegetal). Un microplaneta más densamente poblado que la Tierra misma y que demuestra que existe una asombrosa continuidad biológica entre nosotros como individuos y el todo del mundo exterior.

La clave está en la simbiosis. La simbiosis se define como un vínculo asociativo desarrollado por ejemplares de distintas especies. El término se utiliza principalmente cuando los organismos involucrados (conocidos como simbiontes) obtienen un beneficio de esa existencia en común, pero también se dan relaciones simbióticas parasitarias en las que solo se beneficia de la relación uno de los organismos, a expensas del otro.

Otro tipo de asociación simbiótica es el comensalismo, que consiste en que uno de los microorganismos se beneficia de la relación pero sin coste, o con coste nimio, para el otro (Erica y Justin Sonnenburg lo ilustran con un atinado ejemplo en su libro *The Sugar Blues*[1]: «Imaginemos que un perro rebusca en nuestra basura para comer»). El mutualismo sería la tercera clase; en él ambas partes se benefician de la unión y esa es justo la que establecemos con una microbiota equilibrada.

La microbiota aumenta en cantidad y complejidad según descendemos por el tracto gastrointestinal. Y la máxima concentración de bacterias se da en el intestino grueso. De hecho, la mitad del peso de las heces son bacterias. En realidad el colon es un universo caótico y superpoblado –nada que ver con el «orden» ambiental del intestino delgado–. Y cuando digo superpoblado no me refiero solo a bacterias, también es común encontrarse con lombrices y otras especies parasitarias. Es un universo hostil en el que cada especie lucha fieramente por la supervivencia. Al llegar al colon todo lo nutritivo ha sido ya absorbido y poco queda de aprovechable. Y todas las tribus que habitan ese universo sin ley se lanzarán ávidas y sin contemplaciones a por ese «poco». Pero no quiero que esta manera de exponerlo lleve a equívoco; el intestino grueso no es un mero vertedero, sino que en realidad cumple varias funciones importantes. No hay que olvidar que la excreción es un factor fundamental para mantener una ecología interna sana. El problema es que en dicho vertedero se acumulan tal cantidad de residuos potencialmente tóxicos que puede generar el caldo de cultivo de todo tipo de enfermedades, entre

1. Publicado en español bajo el título *El intestino feliz* (Editorial Aguilar).

ellas el temido cáncer de colon, de diagnóstico tardío ya que esta parte del intestino posee escasísimos receptores del dolor y la enfermedad avanza sin hacer ruido.

Hoy sabemos que las criaturas que pueblan nuestro ecosistema interno desempeñan, sin duda, un importante papel no solo en las funciones digestiva e inmunitaria sino también en la salud en general, incluida la salud mental. Y todo apunta a que su radio de acción va bastante más allá: nuevos estudios están demostrando que las bacterias que habitan nuestro organismo influyen en la manera en que la mente trabaja y que malestares psicológicos cada vez más extendidos, como la ansiedad o la depresión, pueden estar en gran parte relacionados con el estado en el que mantengamos el hábitat de nuestros minúsculos habitantes.

Es mucho, y muy prometedor, lo que se va descubriendo sobre esta gran desconocida y parece que los hallazgos son determinantes porque, sin ir más lejos, los dos mayores estudios publicados hasta ahora sobre la microbiota han arrojado resultados prácticamente iguales a pesar de haberse realizado de manera independiente y en dos países distintos. Hablo de sendos trabajos realizados por el Instituto Flamenco para la Biotecnología, en Bélgica, y por la Universidad de Groninga, en Holanda. Ambos llegaron a conclusiones coincidentes en lo relativo a la inmensa mayoría de los parámetros analizados.

En este contexto, resulta alarmante saber que nuestras bacterias intestinales son una especie en peligro de extinción (de nuevo el metafísico paralelismo entre planeta externo y planeta interno). Por eso, como veremos más adelante, es tan importante mantener la diversidad y el equilibrio en nuestra colonia bacteriana intestinal; al fin y al cabo, se trata de un ecosistema y en cualquier ecosistema la gravedad de las consecuencias de la desaparición de una especie depende de la variedad y riqueza de especies de dicho sistema. Con la pérdida de diversidad aumenta el riesgo de que el sistema se colapse.

Para evitarlo, es importante conocer bien a la población y tratar de mantener la armonía y proteger a los buenos ciudadanos ante los elementos más conflictivos (como la vida misma).

Simplificando y sin entrar en pormenores científicos o nomenclaturas complicadas, podemos decir que la microbiota está compuesta por bacterias beneficiosas (flora de fermentación) y bacterias perjudiciales (flora de putrefacción).

Las primeras, laboriosas y benévolas, desempeñan una labor indispensable en el proceso digestivo, sobre todo en lo referente al tránsito intestinal y la eliminación de residuos; entre otras cosas, son eficientísimas en la absorción de minerales y en la síntesis de vitaminas, es decir, en la asimilación de todos los nutrientes. Producen varias vitaminas esenciales para la salud del cerebro y de todo el sistema nervioso, incluyendo la $B_{12}$ –cuyo déficit supone un factor de riesgo para desarrollar depresión e incluso demencia–, y colaboran activamente en la función inmunitaria estimulando la producción de defensas (linfocitos). Son nuestras aliadas y se conforman con poco: a cambio de comida y alojamiento, transforman nuestro alimento en energía y nos protegen frente a cualquier intento de invasión patógena. Nuestros intestinos tienen, gracias a ellas, la habilidad de recibir los alimentos, extraer de ellos las sustancias necesarias para la vida y expulsar los elementos inútiles o tóxicos.

A las segundas, las bacterias «perjudiciales», en realidad, podríamos llamarlas bacterias «no tan beneficiosas» porque no se pueden considerar nocivas –son también útiles en algunos aspectos–, aunque es indispensable que estén en minoría para mantener el equilibrio de la microbiota. El secreto, pues, está en conseguir que siempre haya más bacterias beneficiosas –las que llegaron primero; si están sanas, son territoriales como felinos–, es decir, en mantener a raya a las perjudiciales sin eliminarlas pero impidiendo que tomen el poder.

Las funciones de la microbiota son muy numerosas y tan fundamentales que muchos especialistas la consideran ya como un órgano más (después de todo, estamos hablando de dos kilos de biomasa esencial para vivir y cuyo funcionamiento repercute en todo el sistema). Por ello uno de los cometidos cardinales del llamado segundo cerebro es el mantenimiento de las condiciones óptimas para el desarrollo de las bacterias beneficiosas y la detección y rápida neutralización o expulsión de los microorganismos que pudieran resultar nocivos.

### Microbiota/microbioma

En los textos –libros, artículos, ponencias, entradas de blog...– que tratan sobre esta colonia microbiana, hasta hace poco conocida como flora intestinal, es frecuente la confusión, o al menos la falta de claridad, a la hora de diferenciar entre «microbiota» y «microbioma». No son sinónimos en absoluto. La primera es lo que he definido en este apartado y sus principales funciones, tal y como he expuesto, son protectoras (frente a otros tipos de bacterias y virus potencialmente patógenos), metabólicas (cumple un papel esencial en la digestión y la absorción y síntesis de los nutrientes) e inmunitarias (cuando su ecosistema se halla en equilibrio, para el correcto funcionamiento del sistema inmune). Por su parte, el microbioma vendría a ser un segundo genoma diferente del genoma humano, y que ayuda a compensar algunas deficiencias de este. O sea, es el código genético de todos los microbios que albergamos. Su estudio es relativamente incipiente y hay que ir hilando más fino para aprovechar todo el potencial de esta nueva huella identificativa.

## DISBIOSIS Y PERMEABILIDAD INTESTINAL: ZAFARRANCHO DE COMBATE

Se conoce como disbiosis, o disbacteriosis, a la alteración de la microbiota intestinal producida como resultado de un desequilibrio entre bacterias beneficiosas y bacterias dañinas. Esta alteración es debida en la mayoría de los casos a patrones dietéticos que perjudican al ecosistema bacteriano y alteran su funcionamiento.

Si se alarga en el tiempo, la disbiosis acelera el envejecimiento y debilita ostensiblemente todo nuestro organismo. De hecho, muchos de los problemas que de manera displicente achacamos a la edad tienen su origen en este desequilibrio y podrían subsanarse si no diéramos por sentado que son condición *sine qua non* de la vejez.

Las alteraciones en la composición de la microbiota –por eliminación de bacterias beneficiosas o proliferación de las perjudiciales– pueden provocar numerosos trastornos no solo intestinales. Por ello es importante tenerla en cuenta a la hora de alimentarnos (se tratará más detalladamente este tema al hablar de los hábitos alimentarios). Debido a estos cambios en la concentración bacteriana, la pared intestinal se vuelve permeable y el problema, irremediablemente, pasa de ser intestinal a ser general, con consecuencias nefastas para todo el organismo.

La pared intestinal actúa como puente y frontera; por un lado participa en la asimilación de nutrientes y por otro impide que bacterias y proteínas ajenas se adhieran a la mucosa intestinal. Esto lo consigue gracias a la acción de sus anticuerpos, que identifican y bloquean los elementos amenazantes. Cuando esta frontera está dañada y se vuelve franqueable sin ningún control, quedamos a merced de numerosas dolencias. Y esto sucede por el debilitamiento de las estrechas uniones que existen entre las células epiteliales que conforman el revestimiento. En realidad, más que de un debilitamiento se trata de un mal funcionamiento: las uniones se abren cuando no deben, es decir, se abren por error o negligencia –siguiendo con el símil del puesto de control fronterizo– ya que en realidad no han de estar siempre cerradas. De hecho, estas uniones intercelulares también se abren para permitir el paso de los nutrientes.

En nuestro heterogéneo ecosistema intestinal todos los microorganismos –tanto nuestros aliados como los potencialmente conflictivos– están separados del flujo sanguíneo por esa barrera de enterocitos (células epiteliales). Cuando los aliados –los que establecen con nosotros, los anfitriones, una relación simbiótica– están en minoría (debido a varios factores que pronto veremos), el riesgo de que los posibles patógenos –partículas, sustancias, bacterias y otros microorganismos– puedan atravesar la barrera aumenta. Si esto ocurre, el torrente sanguíneo resultará contaminado y el hígado sufrirá una sobrecarga, lo que hará que disminuya su capacidad depuradora y por tanto nuestra tolerancia a las sustancias químicas a las que nos vemos expuestos a diario.

Esta permeabilidad provoca que varias sustancias *non gratas* se abran paso y reten al sistema inmunitario. La respuesta inmune que sigue da lugar a una inflamación. Cuando esta respuesta inflamatoria se convierte en un estado permanente y repetitivo, afecta a la función de otros órganos, incluido el cerebro.

La proteína encargada de modular la apertura o cierre de estas uniones intercelulares es la zonulina, cuya función principal consiste en regular el flujo entre el intestino y el torrente sanguíneo. Cuando hay un exceso de producción de zonulina, dicha modulación se descontrola y las uniones se abren peligrosamente. De hecho, en analítica, esta molécula se considera marcador de muchas enfermedades autoinmunes y de ciertos tipos de cáncer.

Los dos desencadenantes de este exceso de producción son determinadas bacterias intestinales y el actualmente archinombrado gluten. En efecto, el trigo tiene bastante que ver con esta cuestión. Y cuando digo trigo, me refiero a eso a lo que seguimos llamando trigo a pesar de que a partir de los años setenta los genetistas, en aras de una mayor producción, lo convirtieran en una especie diferente, con una composición bioquímica ajena a la del trigo original. Entre esos nuevos componentes destaca –y no precisamente por algo positivo– la gliadina, que forma parte de las proteínas del gluten y es la que está detrás de los problemas de salud atribuidos a este, como provocar que los niveles de zonulina se disparen aunque uno no padezca la enfermedad celíaca. Esta proteína, además, no solo produce permeabilidad intestinal, también afecta a la barrera hematoencefálica, que se vuelve absolutamente vulnerable a los intrusos.

Actualmente numerosos estudios documentan una relación directa entre la permeabilidad intestinal y las enfermedades autoinmunes. Cuando la barrera se debilita y la entrada fronteriza se desborda, cunde la confusión y el sistema inmune, desbordado por los acontecimientos, sobrerreacciona y, ante la situación de alarma permanente, comienza a producir anticuerpos a mansalva que «disparan» a diestro y siniestro incluso contra los propios tejidos. Y esto provoca inflamación, que es un elemento coincidente en afecciones y trastornos tan dispares como la diabetes, las enfermedades autoinmunes, el cáncer, la depresión, el autismo, el asma, la artritis, la esclerosis múltiple, el alzhéimer o el párkinson. Incluso el trastorno de déficit de atención e hiperactividad (TDAH) presenta como mecanismo subyacente la inflamación descontrolada, debida a detonantes como el gluten, por lo que es absurdo pensar que se trata de un problema meramente neurológico –en ese caso no tendría por qué haber diferencias tan claras en cuanto a incidencia del trastorno en diferentes culturas (es extraordinariamente más frecuente en las culturas occidentales); siendo así, es obvio que existen factores ambientales determinantes.

En el año 2003 se realizó un estudio revelador con un grupo de veinte niños a los que se les había diagnosticado TDAH. A la mitad se les suministró como tratamiento metilfenidato (fármaco psicoestimulante) y a la otra mitad los trataron con probióticos (hablaré más adelante sobre ellos), ácidos grasos omega 3 y suplementos nutricionales. Ambos grupos obtuvieron resultados casi idénticos. Obviamente el grupo de estudio fue muy pequeño, pero eso no invalida los resultados; aunque no se tomen como concluyentes, deben considerarse como un indicio clarísimo de algo en lo que hay que profundizar.

Para aquellos que padezcan molestias abdominales después de las comidas, malas digestiones, acumulación dolorosa de gases, etc., es muy recomendable realizar un perfil de disbiosis para determinar la concentración de cada una de las especies que conforman la microbiota y completarlo con un estudio micológico para evaluar la presencia de hongos, levaduras, parásitos, etc. Se puede comer sanísimamente, pero si la mucosa intestinal no está en buenas condiciones, no servirá de mucho; si no hay una buena ecología de la microbiota, no se puede hablar realmente de buena salud.

Ante todos estos datos, la solución parece estar en un cambio de enfoque de la medicina que apunte hacia una visión más integrativa. La alimentación, los hábitos y la ingesta de suplementos (como la glutamina, un aminoácido esencial con propiedades antiinflamatorias y que favorece el crecimiento y la reparación de la mucosa intestinal actuando como protector y previniendo las irritaciones) son factores clave que pueden generar cambios asombrosos.

### FACTORES DESENCADENANTES DEL DESEQUILIBRIO BACTERIANO

Como ya dije, existen una serie de factores determinantes que afectan directamente a la diversidad y el equilibrio de las bacterias intestinales. Se trata de factores cotidianos que irremediablemente forman parte de nuestra vida, al menos de la vida de quienes vivimos en sociedades occidentales urbanitas y avanzadas:

- Los ANTIBIÓTICOS de amplio espectro tomados por vía oral son bombas de destrucción masiva que desequilibran drásticamente el ecosistema bacteriano ya que, al enfrentarse a los elementos patógenos, arrasan también con los microorganismos benéficos. Y cuidado, porque cuando comemos carne y pescado (me refiero a carne procedente de la explotación intensiva y pescado de piscifactoría), consumimos sin saberlo las enormes cantidades de antibióticos que se les han suministrado a los animales.

La cuestión de los antibióticos es aún más delicada en el caso de los niños pequeños, cuya comunidad bacteriana, como hemos visto, está en pleno desarrollo. Estos fármacos caen en medio de ese jovencísimo ecosistema como un meteorito devastador, y si tenemos en cuenta la cantidad de enfermedades infantiles que los pequeños encadenan en sus primeros años, tendremos como resultado un bombardeo casi continuado de medicamentos. Con este ataque indiscriminado la variedad de la microbiota del niño disminuye ostensiblemente marcando su futuro perfil médico.

- Por otro lado, cualquier otro FÁRMACO consumido durante largos periodos, o prescrito de por vida, altera el equilibrio bacteriano de nuestro organismo. Entre ellos, uno de los más dañinos es la píldora anticonceptiva. Son de sobra conocidos los numerosos efectos secundarios de la famosa píldora; no voy a enumerarlos aquí, pero sí me detendré a recordar que muchos estudios documentan la relación directa entre los anticonceptivos orales y los trastornos intestinales tales como la enfermedad inflamatoria y la enfermedad de Crohn.
- Asimismo, debe tenerse mucho cuidado con el ABUSO DE LAXANTES, no solo porque desequilibran el ecosistema intestinal, también porque «la función crea el órgano», es decir, al realizar el trabajo del órgano, este

se atrofia. Además, en realidad solo afectan al síntoma: sus efectos se limitan a provocar un espasmo que permite evacuar rápidamente una parte de las heces acumuladas, mientras que las materias que llevan más tiempo continúan adheridas a la pared intestinal, con todo lo que esto conlleva.

- El AGUA CLORADA. La explicación es sencilla: el cloro mata a las bacterias indiscriminadamente, y el agua del grifo de la mayoría de las ciudades llamadas civilizadas nos llega llena de cloro. Afortunadamente hay un remedio sencillo y económico (las jarras con filtro), y otros efectivísimos, aunque no tan económicos, como los sistemas de osmosis inversa (se basan en aumentar la presión del agua para que atraviese una membrana, que retiene los nitratos y los metales pesados); los sistemas purificadores de agua con rayos ultravioleta (con varias etapas de filtrado y que incorpora un tratamiento de rayos ultravioleta semejante al utilizado por las compañías embotelladoras de agua), o los generadores de ozono (introducen el ozono en el agua y esta, al entrar en contacto con él, se esteriliza).
- La ALIMENTACIÓN. No hace mucho, la revista *Nature* señaló en uno de sus artículos, sin ningún tapujo, que los aditivos utilizados para dar consistencia a prácticamente todos los alimentos procesados y alargar artificialmente su conservación (son los que en el apartado «ingredientes», y con letra diminuta, aparecen nombrados con una E seguida de un guion y un número) alteran visiblemente la microbiota intestinal y provocan la inflamación interna.

Como bien dijo Michael Pollan, periodista y escritor, colaborador habitual en *The New York Times Magazine* y autor, entre muchos otros, de *El detective en el supermercado* y *Saber comer*: «[...] esos alimentos no están hechos de comida sino de *sustancias* parecidas a la comida». Trataré este tema con detalle más adelante.

- El EXCESO DE HIGIENE. Para que el sistema inmunitario se desarrolle óptimamente es imprescindible que durante la infancia se vea obligado a enfrentarse a infecciones. Las necesita para aprender y curtirse, y si bien su aprendizaje dura toda la vida, son los diez primeros años los que marcan la diferencia. Así pues, las enfermedades infantiles tienen una enorme utilidad en este sentido ya que activan el sistema para que cree anticuerpos que serán utilizados en el futuro para luchar contra diferentes infecciones.

  Debido a prejuicios firmemente asentados sobre los cimientos de las teorías de Pasteur, que «criminalizaban» a los microbios en general –pagaron justos por pecadores–, nos han bombardeado con mensajes erróneos. Estamos convencidos de que una casa en la que vive un bebé debe ser algo así como un quirófano. Presas de la paranoia, desinfectamos todo una y otra vez –incluidos los juguetes– y lanzamos un *vade retro* si se aproxima la mascota de algún amigo. Estamos idiotizando a nuestro sistema inmunitario, que, al estar en medio de un ambiente aséptico, no tiene que molestarse en pensar ni en actuar y por ello ante cualquier infección grave se queda paralizado porque ha olvidado todo el protocolo de actuación. Cada vez es más evidente que un entorno ultrahigiénico puede desencadenar problemas de índole inmunitaria.

Cuando hablamos de microbios, inmediatamente aparece la connotación negativa. Vivimos en una sociedad bacteriofóbica, en la que los grandes héroes son los antibióticos y los bactericidas, y nos hemos convertido en unos auténticos paranoicos obsesionados con la desinfección. E insisto: esa paranoia nace de una errónea visión reduccionista que, generalizando, ha marcado a todos los gérmenes con la etiqueta de nocivos. Esa mala reputación nos lleva a destruirlos indiscriminadamente y esa «ejecución masiva» está teniendo pésimas consecuencias. Afortunadamente, las nuevas herramientas moleculares nos han descubierto (y lo que queda aún por venir) quiénes son «los buenos» en el fascinante universo que albergamos.

### Pescando bacterias milagrosas en los charcos

El científico británico John Stanford, en su búsqueda de una vacuna contra la lepra, aisló una bacteria hallada en un charco de barro en Uganda (sí, has leído bien: bacteria, charco, Uganda... Suena insano, ¿no?). En la investigación también participaba su esposa y colega, Cinthya, quien por entonces sufría una dolencia muy poco común llamada enfermedad de Raynaud. Se trata de un trastorno de los vasos sanguíneos «que afecta generalmente a los dedos de las manos y los pies. Esta enfermedad provoca un estrechamiento de los vasos sanguíneos cuando la persona siente frío o estrés. Cuando esto ocurre, la sangre no puede llegar a la superficie de la piel y las áreas afectadas se vuelven blancas y azules. Cuando el flujo sanguíneo regresa, la piel se enrojece y se tiene una sensación de palpitación o de hormigueo. En casos graves, la pérdida del flujo sanguíneo puede causar llagas o muerte de los tejidos». Con este cuadro cualquier actividad de la vida cotidiana podía convertirse en una enorme dificultad para Cinthya, y las molestias eran continuas.

Casualmente, tras probar la vacuna contra la lepra –ambos se la inocularon–, los síntomas de la enfermedad de Raynaud comenzaron a remitir de manera espectacular. Y la sorpresa no quedó ahí. Los Stanford comenzaron a tratar con esta bacteria a otros miembros de la familia con el mismo problema e incluso con problemas de salud más graves (entre ellos mencionan un caso de cáncer con resultado de remisión espontánea) y todos mejoraron.

La clave está, sencillamente, en que esta bacteria reequilibra un estado inflamatorio provocado por disbiosis.

Una vez más se demuestra que nuestro error de base reside en creer que el sistema inmune nos protege matando microbios cuando en realidad lo que sucede es que los microbios son los que controlan nuestro sistema inmune. Del equilibrio de aquellos depende el buen funcionamiento de este.

- La CONTAMINACIÓN ELECTROMAGNÉTICA. Pues sí, por sorprendente que parezca, el intestino es uno de los órganos más vulnerables ante este tipo de contaminación (junto con el cerebro y el corazón). Aunque hoy día es prácticamente imposible escapar de ella (vivimos enredados en una maraña de cableado invisible), pequeños gestos como desconectar móviles y wifi antes de irnos a la cama o mantener el dormitorio libre de aparatos eléctricos (sobre todo la mesita de noche) pueden marcar grandes diferencias. Y no olvides que los aparatos desconectados también emiten radiaciones; desenchúfalos cuando no los estés utilizando, especialmente los ordenadores y los cargadores de móvil.

- El espectacular aumento de las CESÁREAS. En mi opinión este aumento tiene mucho que ver con la vida moderna y sus parámetros. Es infinitamente más cómodo un parto con fecha prefijada, mucho más fácil de encajar en los apretados «programas» de doctores, padres y empresas (mejor programar una baja laboral con exactitud). Vivimos en la inconsciencia y a menudo ni imaginamos las consecuencias de decisiones que consideramos «sin importancia».
- El alarmante DESCENSO DE LA LACTANCIA MATERNA. Ya he señalado cómo el método de crianza que elijas para tu hijo marcará su salud de por vida. Tal y como afirmó la doctora Rochellys Díaz Heijtz, del Instituto Karolinska y el Instituto del Cerebro de Estocolmo, en uno de sus artículos: «Los datos apuntan a que existe un período crítico en las primeras etapas de la vida en el que los microorganismos intestinales afectan al cerebro y cambian el comportamiento en la vida adulta». Es una cuestión, pues, mucho más trascendental de lo que muchos están dispuestos a admitir.
- El ESTRÉS. La relación intestino-cerebro es activa en ambas direcciones; el cerebro también puede volverse en contra de su vecino de abajo y generar una serie de reacciones que se van sumando y van haciendo crecer la bola de nieve. Por ejemplo, cuando vivimos una situación que nos genera estrés, nuestro cerebro envía un mensaje a las glándulas suprarrenales para que liberen cortisol. Esta hormona es la encargada de hacer que el organismo libere glucosa en la sangre para enviar cantidades masivas de energía a los

músculos (que se preparan para la lucha o la huida; es una respuesta primitiva). Contando el cuento de manera sencilla, podríamos decir que el organismo se concentra en la resolución de esta situación de alarma y «descuida» el resto de sus funciones. Aunque la amenaza no sea real, el cuerpo se llenará de adrenalina y esteroides naturales, y el sistema inmunitario, para tratar de neutralizar a los enemigos y recuperar el control, secretará a mansalva citocinas inflamatorias, las cuales son factores determinantes en los trastornos neurodegenerativos.

Cuando se trata de un acontecimiento puntual, una vez resuelta la emergencia toda la actividad fisiológica vuelve a la normalidad de inmediato, por regla general sin mayores consecuencias. Sin embargo, si la situación se alarga, el estrés crónico puede ser devastador ya que al prolongarse en el tiempo el estado orgánico de alerta (que por naturaleza debería ser puntual), los niveles de cortisol en sangre se disparan y el sistema inmunitario se deprime considerablemente. Cuerpo y mente se agotan y las funciones sistémicas del organismo comienzan a fallar. Se podría decir que el estrés agudo nos salva la vida, pero el crónico nos la quita. Uno de los primeros afectados es el intestino, que sufrirá permeabilidad e inflamación (y como ya hemos visto, esto afecta a nuestro estado de ánimo, así que obviamente el círculo vicioso está servido). El cortisol altera la ecología del intestino.

Ahora bien, en esta rueda de causas y efectos que se encadenan hasta confundirse, el intestino además de víctima puede erigirse en protector ya que de nuevo una microbiota sana y equilibrada determinará la respuesta del organismo ante esta situación. En un estudio publicado en 2004 por la revista *Journal of Physiology*, un grupo de investigadores japoneses informaron que los ratones sin microbiota intestinal reaccionaban exageradamente a las situaciones de estrés y el nivel de cortisol se les disparaba, y que esta respuesta se revertía cuando se les proporcionaba un compuesto de bacterias para colonizar sus intestinos. Este y otros estudios similares apuntan indudablemente a que el estrés se puede controlar desde el segundo cerebro.

Está, pues, archidemostrado que la exposición continuada al estrés provoca cambios en la composición de nuestro universo bacteriano. Concretamente se sabe que el número de bacterias dañinas aumenta desestabilizando a toda la comunidad y afectando a la función inmune (no hay que olvidar que el ochenta por ciento de las células inmunocompetentes del ser humano se encuentran en el tracto intestinal).

Y llegados a este punto, me gustaría hacer un apunte que considero importantísimo y respecto al que tenemos especial ceguera. Estamos criando niños estresados. Hace unas décadas era impensable que los niños pudieran sufrir estrés crónico y sin embargo ahora, con la firme convicción de que es por su bien y por su futuro, en el colegio los sobrecargan de deberes y nosotros los sobrecargamos de actividades extraescolares para completar esa formación –exhaustiva– que nos parece *insuficiente*. Y como ya sabes, el estrés afecta negativamente al equilibrio bacteriano y por tanto a la respuesta inmune. ¿De verdad merece la pena que nuestros hijos crezcan infelices y acelerados –y, por tanto, enfermos– en pos de un futuro supuestamente «prometedor»? Optamos por que crezcan estresados y tristes, pero, eso sí, en una casa bien limpia, no sea que «pillen» algo. ¿Soy la única que lo encuentra absurdo? En mi humilde opinión, lo estamos haciendo rematadamente mal.

# LA ALIMENTACIÓN COMO TERAPIA
## (¿Recuerdas la película *Los Gremlins*? Más te vale vigilar lo que le das de comer a tu tribu intestinal)

Cada vez es más evidente que la salud depende de lo que bebemos y comemos. Y ello no excluye ni a las llamadas patologías mentales ni a las enfermedades autoinmunes, ni siquiera al cáncer.

Desde mi punto de vista, es triste, absurdo e indignante el hecho de que las enfermedades que causan un mayor número de muertes hoy día (yo diría que causan un escandaloso número de muertes) no son precisamente enfermedades contagiosas; a pesar de que se podría hablar de epidemia, son enfermedades ambientales debidas en gran parte a malos hábitos y por tanto, son enfermedades prevenibles. Quizás vivimos más tiempo, pero desde luego no vivimos mejor. Todos tememos a la vejez porque damos por hecho que es una etapa llena de enfermedad, incapacidad y dolor.

Dos terceras partes de nuestras respuestas inmunitarias empiezan en el intestino. Más del setenta por ciento de nuestro sistema inmunitario se asienta en este órgano, que es la interfaz entre el mundo exterior y nuestro organismo.

Por eso es vital saber cómo y de qué se nutre una microbiota sana. Aún queda mucho por investigar, pero hay pruebas sólidas que invitan a seguir hilando fino en lo que se refiere a su relación directa con las potenciales funciones y capacidades del segundo cerebro y la posibilidad de regularlas a través de la alimentación y el estilo de vida. Hoy más que nunca se nos está sirviendo en bandeja una oportunidad de oro: alimentarnos terapéuticamente sin perder el placer de comer.

Las especies que componen nuestra microbiota varían de un individuo a otro como si de planetas diferentes se tratara. La colonización, como ya he indicado, comienza en el momento de nacer y la variedad de colonizadores depende de múltiples factores, empezando por nuestra manera de venir al mundo (por vía vaginal o por medio de cesárea). Además va variando con el paso del tiempo y debido a agentes externos y a hábitos personales. Cuando digo agentes externos me refiero a agentes dañinos que, lamentablemente, van diezmando los microorganismos benéficos y van convirtiendo un ecosistema saludable en una auténtica factoría de enfermedades. Para poder compensar este ataque constante en el que nos hemos acostumbrado a vivir contamos con un arma que sabiamente utilizada puede resultar muy efectiva: la alimentación.

Una parte del mundo muere de hambre y otra muere intoxicada –poco a poco– por lo que come. Y no es que el cuerpo no nos envíe señales para advertirnos de esa intoxicación; es que el envenenamiento está tan «normalizado» en nuestras vidas que ya ni siquiera registramos que nos sentimos mal. El intestino es un órgano poco glamuroso y pocos comentamos nuestros malestares cuando implican al vientre y sus funciones. Consideramos habituales, generalizados y hasta anecdóticos trastornos que no deberían serlo y que tienen mucha mayor importancia de la que imaginamos.

En cuanto a nutrición, el ser humano promedio habitante del primer mundo se caracteriza por estar sobrealimentado y, sin embargo, malnutrido. Se puede decir que nuestros nutrientes básicos son el oxígeno, el agua y los alimentos. Y, lamentablemente, hoy en día, los problemas comienzan ya con el primero, con el sencillo acto de respirar. Tenemos problemas para respirar, lo hacemos mal. La respiración más habitual es la pectoral, una respiración provocada por el estrés y que a su vez no favorece en absoluto la relajación. Se trata de una respiración superficial y en cierto modo incompleta. La auténtica respiración es la diafragmática, que involucra al diafragma y a la pared abdominal. Si conseguimos automatizar esta respiración, activaremos y oxigenaremos todo el cuerpo. En cuanto al tema que nos ocupa en este libro, es especialmente beneficiosa ya que supone un masaje continuo para los órganos abdominales y un estímulo para la motilidad intestinal. De hecho, para la medicina tradicional China la respiración abdominal consciente es la base indiscutible del equilibrio energético y, por tanto, de la salud.

Respecto al agua, ya es de conocimiento universal la suma importancia que tiene para nuestro organismo. En cuanto a las cantidades recomendadas, la cifra baila de unos expertos a otros, así que ante la duda, simplifiquemos al máximo: hay que beber MUCHA. Para establecer un baremo razonable, más allá de la broma, existe una fórmula aplicada por numerosos naturópatas que consiste en dividir el peso en kilogramos entre treinta y el resultado nos dará la cantidad de litros que deberíamos beber al día. Por ejemplo, si pesas 60 kilos deberías beber 2 litros (60:30 = 2).

Hay un estudio muy elocuente sobre el «estómago» del primer mundo. Se analizaron comparativamente la microbiota de los habitantes de una aldea africana (los hazda, cazadores-recolectores) y la de un grupo de urbanitas italianos. En cierto modo, se trataba de comparar intestino «antiguo» e intestino «moderno». Los resultados fueron meridianos. La primera era bastante más rica y equilibrada que la segunda. Lamentablemente, alimentación moderna es sinónimo de alimentación procesada, y esa es justo la que más nutre a los peores habitantes de nuestro intestino. Estamos pagando el hecho «evolutivo» de haber pasado en muy pocas generaciones de cazadores-recolectores a estar por completo desconectados de la vida silvestre. La dieta humana basada en la caza, la pesca y la recolección se componía de plantas silvestres –cargadas de pura fibra y sin los nefastos añadidos que traería la civilización– y de animales sanamente alimentados. Con la agricultura el menú experimentó un gran cambio: el hombre fue ensayando, probando e implementando técnicas selectivas muy sencillas que a un nivel muy sutil comenzaron a modificar las frutas y las verduras recolectadas. Empezó también el cultivo de cereales como el trigo y el arroz. Los animales consumidos ya no eran solo los cazados sino también los criados en la comunidad, alimentados por los granos cultivados, y el hombre se animó a consumir la leche que producían. La Revolución Industrial fue un revulsivo para los hábitos alimentarios. En realidad, en cuanto a nutrición, en los últimos cuatrocientos años hemos pulverizado la alimentación natural, que se venía siguiendo durante milenios. El cambio ha sido radical y vertiginoso, y nuestra dieta ahora se basa principalmente en comida altamente procesada (y digo *comida* porque el término *alimento* no sería muy ajustado en este caso). Una comida desplumada de nutrientes e hiperhigienizada (a conciencia, no para salvaguardar su salubridad sino para retrasar su fecha de caducidad).

El primer mundo vive intoxicado, sometido a un envenenamiento paulatino. Justin y Erica Sonnenburg lo resumen con mucho ingenio en su libro *The Sugar Blues*:

> Si nuestras bacterias intestinales pudiesen pasear por un supermercado cualquiera con la misión de encontrar algo que comer, se enfrentarían a una situación equiparable a la de un humano que intenta encontrar comida en una ferretería.

Nuestros microhabitantes están muriendo de inanición. En estos momentos los microbios supervivientes son en su mayoría aquellos que se fortalecen y se multiplican en un entorno tóxico, añadiendo toxicidad a la toxicidad. Y lamentablemente esa es la población que la mayoría de nosotros estamos albergando y alimentando en nuestros intestinos.

Rudolph Virchow, médico alemán considerado el fundador de la patología celular, afirmó:

> Los patógenos no son la causa de la enfermedad, sino que buscan su hábitat natural en «los tejidos enfermos» De igual manera que los mosquitos buscan el agua estancada y putrefacta, pero no son la causa de la putrefacción del agua.

### La asombrosa microbiota de la tribu hadza

Los hadza son una tribu ancestral –compuesta de aproximadamente un millar de individuos– asentada en el Parque Nacional del Serengueti, en el gran valle del Rift, en Tanzania. Su existencia transcurre congelada en el tiempo –congelada en un tiempo lejanísimo, un tiempo de cazadores-recolectores puros–. Estudiar su vida, sus costumbres, su dieta es como viajar a la infancia del ser humano como especie, Los hadza son la réplica viviente de nuestros antepasados, aquellos que vivieron antes de que comenzara a implantarse la agricultura.

Recientemente un equipo internacional de investigadores ha documentado el perfil microbiano único que presentan los miembros de esta tribu. Su microbiota muestra una riqueza y una biodiversitad muy superior a la microbiota de los occidentales y por completo diferente a cualquiera que se haya visto antes en una población humana moderna.

Su dieta, dependiendo de lo que la Madre Tierra, sin intervención humana –desconocen la agricultura y por tanto la ganadería también–, les ofrece en cada estación, consiste principalmente en tubérculos, semillas y frutos, así como miel y animales silvestres. Un dato curioso: la colonia bacteriana intestinal de las mujeres es distinta a la de los hombres, y según el estudio esto es debido a que ellos se alimentan más de animales (son los cazadores) y ellas más de lo que consiguen por recolección (vendría a ser como el hombre que por trabajo come fuera de casa y la mujer que se dedica al hogar y se alimenta de comida casera).

Y otra curiosidad: su microbiota –la de ambos sexos– carece por completo de bifidobacterias, fundamentales para un intestino saludable en el primer mundo actual, y sin embargo, en general, son individuos muy sanos. «Los hadza no solo carecen de "bacterias saludables" y no sufren de las enfermedades que nosotros padecemos, sino que además tienen altos niveles de bacterias comúnmente asociadas con enfermedades», señala una de las coautoras del estudio, Alyssa Crittenden, antropóloga nutricional de la Universidad de Nevada, en Las Vegas.

Esto demuestra que las etiquetas saludable/no saludable dependen del contexto que habitamos, y que la microbiota es determinante en procesos de adaptación y supervivencia. Es decir, el ecosistema intestinal es porfiado y en su empeño por sobrevivir optimiza todo lo que se le pone por delante (otro ejemplo de esto lo encontramos en Japón, donde muchos habitantes presentan en su microbiota una bacteria que se alimenta de algas y que es muy inusual en las microbiotas occidentales. Como las algas son elemento común en la dieta nipona, su microbiota ha evolucionado y ha «generado» bacterias que puedan aprovechar esa abundante fuente de alimento).

Y como no hay dos sin tres, ahí va otra interesante peculiaridad: según una de las conclusiones finales del estudio, más del treinta y tres por ciento de las secuencias de ADN obtenidas en el análisis de la microbiota de los hadza no se pudieron asignar a ningún género bacteriano conocido.

## PREBIÓTICOS, PROBIÓTICOS, SIMBIÓTICOS: QUÉDATE CON ESTOS NOMBRES

¿A qué llamamos prebióticos y a qué llamamos probióticos? Trataré de exponerlo de una manera muy simplista. Los prebióticos son la fibra y los probióticos son los fermentos (como los encurtidos, el chucrut, el miso, el tempeh...). O lo que es lo mismo, los primeros son los ingredientes no digeribles de la dieta, los que llegan al colon sin haber sido modificados por los jugos gástricos y que estimulan el crecimiento o la actividad de los microorganismos beneficiosos, y los segundos son microorganismos vivos benignos –materia viva, regenerativa– que en cantidades adecuadas tienen un efecto tremendamente favorable en el anfitrión que los acoge. Es decir, los prebióticos serían los alimentos de los probióticos. A las bacterias les encanta la fibra. Los lactobacilos favorecen la producción de vitaminas; eliminan los microorganismos patógenos y, por ende, alivian las infecciones estomacales; reducen los niveles de colesterol; favorecen el proceso digestivo, y mejoran la asimilación de los nutrientes.

Y siguiendo con la lluvia de prefijos, hay un mensaje claro en esta nomenclatura: probiótico = provida. Antibiótico = antivida (al menos en lo que a bacterias se refiere). Como dije, es simplista, pero es tan simple como cierto.

El microbiólogo ucraniano Élie Metchnikoff, ganador del Premio Nobel de Medicina y Fisiología en 1908, es considerado por muchos el padre del movimiento probiótico, ya que fue el primero en intuir, ya a principios del siglo pasado, la existencia de bacterias amigas. Con lucidez visionaria, predijo que las bacterias beneficiosas podrían implantarse en el tracto intestinal a través de la ingestión de alimentos fermentados. Su idea surgió al constatar la longevidad generalizada entre los campesinos búlgaros, longevidad que correlacionó con su consumo habitual de leche agria. Por el mismo sendero, pero en sentido inverso, llegó a la conclusión de que las causantes directas del envejecimiento eran las bacterias tóxicas que pueblan nuestro intestino. Su libro *La prolongación de la vida* está basado en sus investigaciones sobre la longevidad, y en sus páginas documenta cómo en aquellas poblaciones cuya alimentación cotidiana incluía grandes cantidades de fermentados, la inmensa mayoría de los ancianos, algunos de ellos centenarios, llevaban una vida activa y saludable.

Metchnikoff se erigió en el principal defensor del valor terapéutico de la dieta correcta y de la capacidad que tienen ciertos alimentos para defender al cuerpo de la invasión de patógenos, y en consecuencia para mejorar y prolongar la calidad de vida. Incluso llegó a desarrollar el primer preparado terapéutico –en forma de cápsula oral– utilizando lactobacilos (casi me atrevería a afirmar que ese fue el primer suplemento alimenticio elaborado).

La dieta perfecta para equilibrar la microbiota es aquella que es rica en prebióticos y probióticos y pobre en proteína animal y azúcares rápidos. Como ya he dicho, los prebióticos alimentan y mantienen sanos a los probióticos, y estos aumentan nuestra biodisponibilidad de minerales y la producción de neuroquímicos, por citar solo dos puntos interesantes en la larguísima lista de propiedades.

Por el contrario, las dietas bajas en fibra y ricas en azúcares simples (platos precocinados, refrescos, mermeladas, zumos embotellados...) favorecen la disbiosis intestinal al aumentar las bacterias intestinales patógenas –que segregan tóxicos– en detrimento de las beneficiosas. Estos tóxicos segregados por las bacterias patógenas pueden modificar la morfología y el metabolismo de las células intestinales, favoreciendo el crecimiento de células intestinales cancerosas, y según varios estudios estas sustancias pueden estar directamente relacionadas con ciertos tipos de migrañas asociadas a determinados tipos de dieta (es el caso de las aminas).

Así pues, si hablamos de alimentos, la clave está en elegir. Si tienes la suerte de vivir en el primer mundo: lo que comas es una cuestión de elección. Tú eres el único responsable. Tú eliges los componentes de tu menú diario, de ti depende que aterricen en tu microbiota los héroes o los villanos. Si optas por los primeros, las bacterias amigas estarán protegidas y tu salud y tu bienestar estarán garantizados.

El intestino es el lugar donde se realiza la alquimia entre lo que comemos y lo que pasa a formar parte de nosotros como seres humanos, y podemos controlar esa alquimia si configuramos óptimamente la comunidad bacteriana que nos habita.

Teniendo todo lo anterior en cuenta, el alimento ideal para cuidar nuestra microbiota (y por tanto para cuidar nuestra salud física y mental) serían los simbióticos, alimentos altamente funcionales en los que están presentes tanto los prebióticos como los probióticos, que interactúan potenciando mutuamente su efecto (sería el caso del kéfir, por ejemplo). Este tremendo potencial sinérgico aún no ha sido estudiado en profundidad pero las primeras investigaciones están lanzando resultados excelentes ya que al consumir simbióticos los probióticos llegan al intestino acompañados ya por las sustancias que favorecen su crecimiento (los prebióticos), lo que afianza la colonización. Un ejemplo perfecto de alimento simbiótico sería la leche materna.

Los prebióticos, los probióticos y los simbióticos son alimentos funcionales, es decir, alimentos que adoptan el papel de medicamentos en lo que se refiere a propiedades (por sus componentes biológicamente activos), pero que a diferencia de estos están libres de efectos secundarios. El modo en que estos tres grupos de alimentos benefician nuestro estado en general demuestra la impactante capacidad que poseen los microorganismos para regenerar y potenciar la vida frente a la destrucción y la enfermedad.

Ya en la Biblia la asombrosa longevidad de Abraham (según la historia sagrada, llegó a cumplir ciento setenta y cinco) se achacaba al consumo de «leche ácida». Y durante el Imperio romano, el chucrut fue un alimento muy valorado que se consumía a menudo y que se consideraba garante de una buena salud.

De hecho, en el contexto actual de malos hábitos y alimentación a base de «no alimentos», la recuperación de la salud pasaría por regresar a las prácticas de fermentación de las culturas tradicionales. Y de nuevo insisto: no solo la salud orgánica, también la salud mental y emocional. A este respecto, las investigaciones han demostrado que nuestra dieta tiene un efecto directo y evidente sobre los niveles de lipopolisacáridos (LPS) en sangre. Los LPS son toxinas inflamatorias de origen bacteriano, una combinación de lípidos (grasas) y azúcares cuyo hábitat natural es el intestino (son un importante componente estructural en muchas de las bacterias que lo pueblan) pero que si se filtran al torrente sanguíneo inducen una respuesta inflamatoria muy agresiva que, como he venido explicando, subyace en muchas de las llamadas enfermedades mentales y en infindidad de trastornos emocionales. De hecho, la relación entre depresión y niveles elevados de estas toxinas está más que demostrada. Pues bien, varios estudios documentan que el nivel de LPS en sangre se reduce ¡hasta un treinta y ocho por ciento! después de un mes de dieta tradicional a base de prebióticos y probióticos.

Para un organismo sano es suficiente mantener una dieta equilibrada evitando los alimentos procesados y dañinos (cada vez más conocidos por el gran público gracias a las redes de información, que van mucho más allá de lo que la industria quiere que sepamos y creamos), pero en el momento en que aparecen las molestias y los trastornos (diarrea, estreñimiento, hinchazón, gases dolorosos...) el consumo de estos tres grupos de alimentos puede ser de gran ayuda, así como la suplementación con productos elaborados.

La medicina alopática no presta mucha atención a los suplementos alimenticios y por ese motivo no hay muchos estudios científicos clínicos destinados a demostrar «oficialmente» su eficacia. Sin embargo, desde el punto de vista de la medicina integrativa son una posibilidad muy interesante, que si bien no sustituye al alimento sí puede incrementar los valores nutritivos y ayudar a cubrir algunas carencias. Siempre con supervisión profesional, por supuesto.

### La kombucha, un superalimento que se está convirtiendo en el refrigerio de moda

Este té fermentado de aspecto poco apetecible cuyo consumo se está imponiendo entre los más vanguardistas adalides de la revolución alimentaria es en realidad una poderosísima colonia simbiótica de bacterias y levaduras. Y aunque esté de plena actualidad lo cierto es que ya era muy apreciada como bebida curativa y estimulante allá por el 200 a. de C. en China, donde se la conoce como el «elixir de la vida». Según cuenta la leyenda, su nombre proviene de un sabio monje tibetano llamado Kombu, excelente naturista, quien le dio a probar al emperador la extraña bebida y le regaló el hongo de la que procedía. El monarca, encantado con sus efectos extendió la elaboración por todo el imperio.

Posee un sabor ácido y refrescante que nada tiene que envidiar al de las insanas bebidas gaseosas artificiales. Además de probióticos contiene vitaminas del grupo B y enzimas digestivas. Un nivel óptimo de las primeras mantiene el estrés y la ansiedad a raya, alivia el síndrome premenstrual y mejora la memoria (entre otras muchas propiedades relacionadas con el sistema nervioso). Las segundas, por su parte, son imprescindibles para descomponer el alimento en moléculas a fin de que los nutrientes puedan ser absorbidos con mayor facilidad.

*Alimentos favoritos de las bacterias benéficas*

- FRUTAS Y VERDURAS FRESCAS DE TEMPORADA. En cuanto a las frutas, no hay que idealizarlas al extremo y consumirlas a mansalva: debes tener mucho cuidado con la fructosa, que no deja de ser azúcar. Y con respecto a las verduras, ten precaución con la cocción. Lo ideal sería tomarlas crudas, y en caso de cocinarlas hacerlo al vapor.
- FRUTOS SECOS. Son la opción ideal en cuanto a fruta ya que se elimina el problema de la fructosa, y no solo son excelentes prebióticos, sino que además incrementan los niveles de serotonina.
- AVENA. Estupendo ejemplo de alimento funcional que logra mantener bajo control al colesterol malo, tiene un efecto suavizante sobre la mucosa gástrica y ayuda a equilibrar la microbiota intestinal.
- BONIATO. Además de fibra aporta beta-carotenos, que mejoran el estado de la mucosa intestinal.
- CHUFAS. También su versión líquida, la deliciosa horchata (siempre que sea orgánica y sin azúcares añadidos). Las chufas proveen de grandes cantidades de bacterias beneficiosas que provienen sobre todo de la piel del tubérculo.
- VINO TINTO. Sus polifenoles no solo presentan propiedades antienvejecimiento, sino que también refuerzan a los microbios amigos (les encanta el buen vino) y su actividad es antiinflamatoria. El polifenol natural de las uvas –llamado resveratrol– ralentiza el envejecimiento y mejora el riego sanguíneo cerebral. Además, consumir vino tinto con moderación (una copa

al día para mujeres, dos copas para hombres) reduce los niveles de LPS en sangre.

- Miel. Alimento excelente para los microorganismos beneficiosos. Presta atención a las marcas y a la letra pequeña de las etiquetas: no toda la miel es miel. Por otro lado, está contraindicada en el caso de padecer candidiasis. Se desaconseja consumir en grandes cantidades, ya que también contiene glucosa.
- Grasas saludables. En lo que a percepción se refiere, con las grasas sucede algo parecido a lo que sucede con las bacterias: han pagado justas por pecadoras y la mala fama de algunas grasas ha provocado que se metan todas en el mismo saco. Craso error (nunca mejor dicho), hay grasas amigas que no solo no perjudican sino que son absolutamente necesarias. De hecho, recientes estudios han demostrado que cuando el nivel de colesterol total en sangre es insuficiente, el cerebro no funciona como es debido, es decir, quienes tienen el colesterol bajo presentan un riesgo mayor de desarrollar trastornos neurológicos. Para el cerebro el colesterol es un nutriente esencial, es su combustible, y su carencia se asocia con una deficiente función cognitiva (sobre todo problemas de atención y concentración, razonamiento abstracto y fluidez verbal). Entre estas grasas saludables recomiendo el aceite de coco prensado en frío orgánico (un supercombustible cerebral que además es termoestable, es decir, no se oxida cuando lo calientas); el aceite de oliva orgánico; el pescado azul (salvaje, nunca de piscifactoría); el aguacate; los frutos secos; las semillas, y el cacao.

- PROBIÓTICOS. Dentro de este grupo destacan:

» ALGA ESPIRULINA. Alimento vivo que ayuda con gran eficacia a equilibrar el ecosistema bacteriano de nuestro intestino. Además aporta una amplísima gama de nutrientes: betacarotenos, vitamina E, vitaminas del grupo B, manganeso, cobre, zinc, selenio, hierro y ácido gamma-linolénico, entre otros. Otra ventaja, a nivel culinario, es que en su forma deshidratada es un potenciador natural del sabor que puedes añadir a tus guisos, y así beneficiarás tanto a tus platos como a tus microorganismos.

» MISO, TEMPEH Y OTROS DERIVADOS DE LA FERMENTACIÓN DE LA SOJA. Su consumo favorece la repoblación de la flora intestinal y fortalece el sistema inmunitario. Eso solo a grandes rasgos, y en lo que al intestino se refiere, porque con respecto a las propiedades del miso se podría escribir un libro aparte. No en vano, en la mitología japonesa aparece como un regalo de los dioses a los hombres para garantizarles felicidad, salud y longevidad.

» KÉFIR. Es una bebida que se obtiene a partir de leches fermentadas, es decir, de leches cargadas de bacterias y levaduras, además de otros compuestos orgánicos. Sobre su origen se cuenta que fueron los pastores nómadas orientales los que lo descubrieron accidentalmente durante sus largos viajes, en los que a menudo la leche fresca se transformaba en una bebida ligeramente gaseosa y de sabor agradable. De hecho, se cree que el término *kéfir* deriva de la palabra turca *keif*, que significa «sensación agradable». Posee un altísimo contenido en probióticos, entre ellos uno exclusivo llamado *Lactobacillus kefiri*, capaz de enfrentarse con éxito a la mismísima *Helicobacter pilori*, también conocida como «el demonio gástrico».

- ENCURTIDOS (PEPINILLOS Y CEBOLLETAS EN VINAGRE, ACEITUNAS FERMENTADAS, ETC.). Son una excelente fuente de lactobacilos que además está exenta de la carga de caseína y lactosa que los fermentos lácticos llevan en contrapartida. Su consumo crea una barrera de control ante microorganismos patógenos.
- CHUCRUT. Se trata de una col fermentada que contiene microorganismos muy beneficiosos para nuestros intestinos (como los leuconostocos o los lactobacilos). Por citar solo algunas de sus múltiples propiedades, diré que reduce los niveles de triglicéridos y la degradación de grasas en el cuerpo e incrementa los niveles de dismutasa superóxido y glutatión, dos antioxidantes muy potentes. Se puede elaborar fácilmente en casa –en Youtube puedes encontrar cientos de vídeos al respecto–. Por otro lado, su gran aporte de enzimas beneficia al hígado y al páncreas. Además, la col fermentada contiene gran cantidad de importantes vitaminas (A, $B_1$, $B_2$, C) y minerales (hierro, calcio, fósforo y magnesio).
- KIMCHI. Podríamos considerarlo un simbiótico. Vendría a ser como la versión coreana del chucrut. Puede prepararse prácticamente con cualquier verdura y tiene estupendas propiedades, no solo probióticas, también terapéuticas y nutritivas: es fuente de vitaminas (A, C, $B_1$ y $B_2$) y de hierro, calcio y betacaroteno.
- VINAGRE ORGÁNICO. No es un probiótico en sí, pero se prepara con ingredientes naturales orgánicos fermentados. Su consumo ayuda a mantener el pH del estómago gracias a la pectina que contiene y favorece la digestión debido a sus enzimas y probióticos.

- Y no olvidemos los ANTIBIÓTICOS NATURALES, alimentos de origen vegetal que actúan contra las bacterias patógenas (por ejemplo, el ajo y la cebolla crudos son excelentes; también el jengibre, la cúrcuma, la canela o la pimienta).

*Alimentos favoritos de las bacterias perjudiciales* Not healthy

Entre ellos se incluyen prácticamente todos los alimentos que llenan las estanterías de los grandes comercios globalizados. No creo que esté haciendo amigos entre los miembros de la insigne industria alimentaria con esta afirmación, pero lamentablemente así está el panorama. Puestos a elegir, genéricamente, a los más malvados de la banda, podrían ser estos dos:

TRIGO

No es lo mismo padecer intolerancia al gluten que ser celíaco, y entender la diferencia es importante. Los primeros, cuando ingieren gluten, sufren una inflamación puntual, pero en principio sin daño intestinal, mientras que los celíacos desarrollan una reacción autoinmune frente al gluten que les daña el intestino. Se trata de síntomas idénticos para diferentes niveles de gravedad.

AZÚCAR

Hace ya cuarenta años que William Dufty publicó *The Sugar Blues*, un revolucionario texto sobre el consumo de azúcar y sus consecuencias no solo físicas, sino –especialmente– psicológicas, que arrasó en ventas (más de millón y medio de ejemplares vendidos). El título es tan elocuente que basta echarle un vistazo al juego de palabras para intuir el material que encontraremos en sus páginas. *Sugar* es «azúcar», y *blues* además de hacer referencia a un color (azul), en sentido figurado se traduce como «tristeza», «melancolía» (y por ende hace alusión a un género musical relacionado directamente con estas emociones). En sus páginas el autor profundiza sobre la relación entre el consumo de azúcar y la depresión (y también su posible vínculo con otros trastornos mentales). Lo que ocurre es que en 1975, año en el que se publicó la primera edición, Dufty no manejaba los datos que hoy han salido a la palestra, y aunque argumentaba con brillantez esta relación, su hipótesis sobre el porqué no era del todo atinada, a pesar de que, obviamente, intuía con gran acierto por dónde iban los tiros.

Actualmente existen innumerables estudios que no solo relacionan el consumo de azúcar con la depresión sino que documentan la evidencia de que se da una correlación directa entre los niveles de azúcar en sangre y el riesgo de padecer demencia (y no se refieren a niveles diabéticos). Estos niveles no solo reflejan el consumo de azúcar y carbohidratos, también hablan de un desequilibrio en el ecosistema bacteriano intestinal ya que algunas bacterias del intestino ayudan precisamente a controlar los niveles de glucemia.

Hoy día es cada vez más evidente que la razón por la que el consumo de azúcar es nefasto para la salud emocional y mental es que esta sustancia desencadena una avalancha de reacciones químicas que desequilibran la proporción entre las bacterias amigas y las bacterias enemigas en nuestro intestino. Más específicamente, se sabe que el azúcar funciona como una suerte de fertilizante para las bacterias perjudiciales (y para hongos y levaduras) mientras que inhibe el desarrollo de las beneficiosas.

## EMOCIONES E INTESTINOS
### (Sobre mariposas, nudos y patadas)

Hasta hace bien poco dábamos por sentado que las experiencias impactaban directamente en nuestro cerebro –y considerábamos la respuesta emocional a esa experiencia como un proceso mental–. Ahora se sabe que la primera respuesta emocional a una experiencia es en realidad una respuesta «visceral», y esto viene a confirmar lo que el lenguaje ya parecía saber: *nudo en el estómago*, *mariposas en la tripa*, *patada en el hígado*. Las emociones campan por nuestras entrañas y desde allí se expresan. Casi podríamos hablar de una inteligencia visceral con sus luces y sus sombras. Las primeras estarían relacionadas con la vitalidad, la acción o la voluntad (presencia adecuada de serotonina y dopamina) y las segundas, con emociones reactivas como la rabia o el resentimiento (producción excesiva de bilis).

Si hablamos de estado mental, enseguida pensamos en nuestro cerebro. Después de todo, nos hemos acostumbrado a considerar mente y cerebro como una misma cosa, y la mente se define como el «conjunto de actividades y procesos psíquicos conscientes e inconscientes, especialmente de carácter cognitivo». No voy a entrar en un tema tan complejo –y sobre el que no tengo ninguna autoridad– como el de la ubicación física de lo que llamamos mente, psique o incluso alma, pero lo que sí puedo aportar, a modo de matiz o de ajuste, basándome en las últimas investigaciones al respecto, es que para hablar de procesos cerebrales no racionales y de emociones, e incluso de conducta, también tenemos que mirar hacia los intestinos. Hacia nuestro segundo cerebro.

Todos asumimos como evidente la relación entre estados emocionales alterados y el malestar abdominal («los nervios se me agarran al estómago», «se me hizo un nudo en el estómago», «se me revolvió el estómago»..., expresiones que a menudo utilizamos para describir nuestra reacción física a un disgusto emocional). Lo que no es tan evidente es la misma relación pero en sentido opuesto: un intestino en mal estado que genera alteración emocional. Es decir, todos tenemos más o menos claro que los estados psicológicos influyen en el metabolismo y en los procesos digestivos y pueden alterar nuestra microbiota; lo que nos resulta novedoso y sorprendente es que, a su vez, el estado de nuestro sistema digestivo afecta a la función cerebral. Hoy diversos estudios (alguno de ellos publicado por el prestigioso *The Journal of Clinical Investigation*) documentan la posibilidad de que el equilibrio entre bacterias beneficiosas y perjudiciales dentro de nuestros intestinos module en gran parte nuestro comportamiento y estado de ánimo.

Al igual que su vecino de arriba, el cerebro intestinal es un completísimo almacén en el que se pueden encontrar todo tipo de sustancias psicoactivas directamente relacionadas con los estados de ánimo. Es el caso de los opiáceos; de la serotonina, hormona de la felicidad (en torno al noventa por ciento –has leído bien: ¡el noventa!– se produce y se almacena en el intestino), y de la dopamina, considerada el neurotransmisor del aprendizaje y la recompensa, es decir, de la motivación (el cincuenta por ciento la produce el sistema nervioso entérico o segundo cerebro).

Investigaciones recientes han demostrado también que el intestino sintetiza benzodiacepinas endógenas, compuestos químicos de efecto tranquilizante y que son el principio activo utilizado en la elaboración de medicamentos ansiolíticos (diazepam, lorazepam...). Es el caso de un interesante estudio realizado en la Universidad de Módena. En los laboratorios de esa universidad italiana, el doctor Campioli y su equipo, tras realizar varias pruebas con ratones relacionadas con las benzodiacepinas producidas por la colonia bacteriana intestinal, concluyeron que es posible regular la concentración de estos compuestos en sangre, simplemente suplementando la dieta con probióticos y prebióticos.

Todos los medicamentos antidepresivos se han diseñado para recrear de manera artificial estas sustancias químicas que actúan en el cerebro. Ahora que sabemos que estos mismos neurotransmisores se producen en los intestinos, podemos inferir que el estado de nuestra microbiota tiene mucho que ver con nuestro estado de ánimo. De hecho, la inmensa mayoría de los antidepresivos que se recetan habitualmente desde hace décadas funcionan inhibiendo selectivamente la recaptación de serotonina, o dicho más sencillamente, incrementando la cantidad de serotonina. Además, se da la circunstancia de que el precursor de este neurotransmisor –el triptófano– es regulado exclusivamente por las bacterias intestinales.

El triptófano es un aminoácido esencial (es decir, aminoácido que no es sintetizado por nuestro organismo y que solo podemos conseguir a través de la alimentación) que cumple importantísimas funciones. Entre ellas las más conocidas son las relacionadas con el sistema nervioso ya que ejerce sobre él un poderoso efecto calmante. Estabiliza el estado de ánimo y combate la ansiedad, la depresión y los trastornos del sueño. Todo esto es debido, precisamente, a que el triptófano es el precursor de la serotonina.

Los grandes enemigos del triptófano son los azúcares y las harinas refinadas que alimentan a las bacterias perjudiciales de nuestra microbiota –y a algunos hongos– y matan a las beneficiosas encargadas del metabolismo de este aminoácido. Esto significa que hay bacterias nocivas que degradan el triptófano pero también hay bacterias productoras de triptófano. De nuevo, la lucha entre buenos y malos que continuamente se libra en nuestras entrañas. Así pues, eliminando –o reduciendo– los productos industrializados y cuidando nuestra alimentación (este precursor se encuentra en numerosos alimentos cotidianos, como el plátano y las legumbres) nos aseguraremos, de manera natural, un buen «suministro» de serotonina. De nuevo, la alimentación como tratamiento y cura.

El estreñimiento, por ejemplo, está directamente relacionado con la falta de serotonina –esta carencia a nivel cerebral provoca decaimiento y pesimismo, y a nivel intestinal limita la motilidad muscular. Es decir, el estreñimiento, de un modo u otro, genera (y refleja) pesadez –no me refiero solo a pesadez física, también a pesadez psíquica, o lo que es lo mismo, a desgana, pesimismo y ausencia de deseo sexual. Además el tránsito lento aumenta la toxicidad tanto a nivel orgánico como a nivel emocional (normalmente quienes sufren estreñimiento son personas controladoras y perfeccionistas, que a menudo arrastran remordimientos y rencores, y con tendencia a caer en estados depresivos). Por el contrario, aquellos que normalmente sufren diarreas (a los que se ha diagnosticado el síndrome del intestino irritable, por ejemplo), suelen ser inseguros, nerviosos, fóbicos... y más que caer en estados apáticos son proclives a los ataques de ansiedad o pánico y a padecer problemas de concentración. Pero ¿cómo es el proceso? ¿El trastorno marca la personalidad, o es la personalidad la que marca el trastorno? En definitiva, ¿quién es el jefe en estos casos, el cerebro de arriba o el cerebro de abajo?

**Actividad terapéutica de la serotonina**

- Efecto antidepresivo-ansiolítico
- Efecto inductor del sueño
- Regulación del comportamiento (control de impulsos)
- Modulación del apetito (está científicamente demostrado que la bulimia va acompañada de un déficit de serotonina)
- Analgésico
- Motilidad intestinal y secreción de líquido entérico

Teniendo en cuenta lo expuesto, resulta totalmente evidente el vínculo entre el segundo cerebro, nuestras emociones y nuestro estado anímico. El profesor Michael Gerson, director del Departamento de Anatomía y Biología Celular de la Universidad de Columbia, es considerado por muchos el padre de la nueva, y prometedora, disciplina científica denominada neurogastroenterología –nacida precisamente a raíz del descubrimiento de la relación existente entre intestinos y cerebro–, que apareció por primera vez mencionada en un artículo de la revista *Guts*, publicado en 1999, y autor del libro *The Second Brain*, que he mencionado y mencionaré en estas páginas. Pues bien, afirma:

> El sistema nervioso entérico es un vasto almacén químico en el que están representadas todas y cada una de las clases de neurotransmisores que operan en nuestro cerebro, y la multiplicidad de neurotransmisores en los intestinos sugiere que el lenguaje hablado por las células del sistema nervioso abdominal es tan rico y complejo como el del cerebro.

Quizás algún día seamos capaces de generar los remedios a nuestros trastornos desde dentro sin necesidad de recurrir a medicamentos adictivos, cargados de efectos secundarios.

Creo que los datos expuestos sobre las neuronas intestinales, los neurotransmisores y las benzodiacepinas hablan por sí solos. Sin embargo, la inmensa mayoría de los psiquiatras de la medicina convencional siguen aferrados al esquema simplista que considera el cerebro como la gran computadora central, y que por tanto abordan los trastornos mentales y todos los desarreglos cognitivos como averías en ese «dispositivo» (y para ellos las averías son siempre desequilibrios químicos de los neurotransmisores alojados y producidos en el cerebro). El árbol les impide ver el bosque. O quizás llevan tanto tiempo observando el árbol que han olvidado el inmenso bosque que lo rodea.

En realidad, se trata de un problema generalizado en la medicina alopática, donde las fronteras entre especialidades son sólidas y «sagradas». ¿Qué sabe un psiquiatra convencional sobre el aparato digestivo? Décadas ignorando al intestino (fábrica endógena de serotonina) y rompiéndose la muñeca firmando recetas de fármacos antidepresivos para aumentar de manera artificial la producción de este neurotransmisor. Eso, sin olvidar esa suerte de displicencia con la que la mayoría de los profesionales de la psiquiatría tradicional observan puntos estrechamente relacionados con la salud mental y emocional –hasta ahora asociados siempre con la medicina alternativa o incluso con la mera palabrería–, como la meditación, la alimentación orgánica, el *mindfulness*...

Cuando hablamos de salud, no podemos diseccionar al ser humano y es necesario un abordaje holístico. Ahora los psicólogos pueden –y deben– preguntar: «¿qué comes?». Quizás la gran revolución informativa y ese gran cajón de sastre que es Internet hayan traído algo de confusión debido principalmente a la ausencia de filtros, pero precisamente esa ausencia de filtros ha favorecido que en muchos campos la luz comience –por fin– a entrar a raudales. Corren malos tiempos para los corporativismos y para los «favores» mutuos entre gigantes. Ya no les basta un dedo sobre los labios para hacer callar a quienes se cuestionan las verdades oficiales.

Irving Kirsch, director asociado del Programa de Estudios del Placebo de la Universidad de Harvard y profesor emérito de psicología en las universidades de Plymouth, en Reino Unido, y de Connecticut, en Estados Unidos, saltó a las redes allá por el año 2002 con un artículo incendiario titulado «Las nuevas drogas del emperador», título excelente que hace referencia –y un guiño– al cuento *El traje nuevo del emperador*, de Hans Christian Andersen, que se ha erigido en emblema del engaño colectivo. Kirsch, al igual que el niño de la historia, señaló en dicho artículo con toda naturalidad –y con argumentos– la manipulación de datos que llevó a que se aprobara la comercialización de antidepresivos y ansiolíticos tan «célebres» como el Prozac o el Paxil. Y esto no fue más que el principio ya que de él surgieron una audaz línea de investigación y un libro (*The Emperor's New Drugs: Exploding the Antidepressant Myth*) que han levantado la liebre en el tema de los antidepresivos y por ende de todo lo relacionado con la enfermedad mental y la «sagrada» práctica médica desde la que hasta ahora se ha estado abordando. Con datos concretos y rigor, Kirsch pone en entredicho la visión biologicista y reduccionista que veta por sistema a otros tratamientos alternativos e integrativos.

En el momento en el que se amplía el angular de la cámara, cuando se abre el campo de visión, dejando atrás prejuicios y verdades inamovibles, aparece la luz. Y esta luz casi siempre apunta a algo mucho más sencillo, porque el gran problema de la ciencia es que se ha ido alejando de la naturaleza y se ha perdido buscando fuera, cada vez más fuera, cada vez más lejos.

Hace ya mucho que se sospechaba que la conducta también depende de factores no relacionados con el cerebro (o con la mente) y no me refiero solo a los ambientales y circunstanciales, que en definitiva también se han estado asociando a una respuesta de la química mental. Uno de estos factores es el estado de la microbiota intestinal. De hecho, sorprendentemente, ya a principios del siglo XX (en 1909 y 1910) se publicaron dos estudios en los que se exponía «la influencia de las bacterias del ácido láctico sobre la melancolía». Y no mucho después, en 1930, el doctor G. Shera publicó un artículo en el *Journal of Mental Science* en el que explicaba cómo al observar la flora intestinal de cincuenta y tres pacientes psiquiátricos había descubierto la carencia en todos ellos de dos bacterias: la *streptococcus* y la *acidophillus*.

Cada vez más estudios animan a investigar las relaciones entre el sistema digestivo, su colonia bacteriana y las alteraciones conductuales –aunque la mayoría de los psiquiatras se aferren a su cetro y opten por ignorar este prometedor sendero–. Uno de estos estudios fue el realizado por el doctor M. L. Hibberd, del Instituto del Genoma de Singapur, en colaboración con los doctores Rochellys Díaz Heijtz y S. Pettersson, del Instituto del Cerebro de Estocolmo, publicado en 2011 por la revista *Neurogastroenterology and Motility*. La investigación consistió en comparar las conductas de dos grupos de ratones: el grupo A, compuesto por individuos nacidos en condiciones normales, y el grupo B, formado por individuos que habían sido criados en un ambiente completamente libre de bacterias desde el momento mismo de su nacimiento y que por tanto carecían por completo de microbiota intestinal. Las diferencias en cuanto a conducta se hicieron evidentes (los ratones del segundo grupo comenzaron a mostrar un comportamiento marcadamente temerario, por ejemplo), y no solo eso: también en cuanto a factores relacionados con el aprendizaje y la memoria. Es decir, la ausencia de ciertas bacterias en su flora había generado cambios evidentes en su desarrollo neuronal.

Otra investigación similar, más elocuente si cabe ya que se trata de un estudio con seres humanos, fue la que realizó el doctor Vivek Rao en la Universidad de Toronto (publicado en 2009 en www.gutpathogens.biomedcentral.com). Treinta y nueve pacientes que padecían fatiga crónica componían el grupo de estudio, que se dividió en dos subgrupos. Durante sesenta días, uno de ellos fue tratado con un placebo y el otro con un probiótico (en concreto el *Lactobacillus casei shirota*). Pues bien, tras el tratamiento, este segundo subgrupo experimentó un descenso evidente en los niveles de ansiedad y depresión. De nuevo se mostraba la relación entre microbiota y problemas psicoemocionales.

Laura Steenbergen y Lorenza Colzato, de la Universidad de Leiden, realizaron un estudio sobre el efecto de los probióticos en el estado de ánimo y documentaron que el consumo de diversos probióticos (procedentes de diferentes cepas) durante al menos cuatro semanas reduce la sensación de angustia y la tendencia a caer en pensamientos recurrentes. Esta tendencia es uno de los principales factores de vulnerabilidad en la depresión.

Los pensamientos recurrentes siempre van asociados a un estado anímico bajo o muy bajo y suelen preceder y acompañar a los episodios depresivos. Según esto, los probióticos no solo serían valiosos como tratamiento del trastorno, sino también como preventivos.

Del mismo modo, numerosas técnicas de limpieza intestinal, meramente físicas en apariencia, tienen como objetivo no solo la eliminación de los sedimentos adheridos al intestino sino también la «evacuación» de desechos emocionales. Es el caso del *shank prakshalana*, una técnica yóguica milenaria que produce maravillosos efectos a nivel físico (los efectos a este nivel son previsibles) y a nivel emocional (más sorprendentes si se desconoce la estrecha relación que he venido exponiendo), como sensación de profunda paz, incremento de la capacidad de concentración y atención, mejora del tono anímico y aumento de la autoestima.

En la actualidad la hidroterapia de colon también tiene como objetivo la doble depuración, es decir, la depuración orgánica unida a una profunda limpieza de excedentes emocionales y cargas psíquicas.

### La psicología biodinámica de Gerda Boyesen

Según esta disciplina, creada por la psicóloga y fisioterapeuta noruega Gerda Boyesen (1922-2005) y basada en gran parte en los principios de la medicina china, los procesos de la mente y del cuerpo son absolutamente interfuncionales, hasta el punto de que cada órgano posee dos funciones: una fisiológica y otra emocional. Se trata, pues, de una psicoterapia con enfoque humanista y orgánico que parte de la premisa de que la mente, el espíritu y el cuerpo funcionan como una unidad.

Con respecto al órgano que protagoniza este libro, es decir, con respecto al intestino, estas dos funciones serían:

- Función fisiológica: el peristaltismo, o sea, la función que permite digerir los alimentos (movimiento intestinal producido por contracciones musculares rítmicas y coordinadas que facilita la progresión del bolo alimenticio y luego fecal).
- Función emocional: el psicoperistaltismo, esto es, la función que permite digerir los residuos metabólicos de los conflictos emocionales mediante un masaje llamado «biodinámico» para permitir la «digestión de las emociones». Porque los conflictos no solo han de digerirse con la mente; también deben digerirse, literalmente, con las vísceras.

Así pues, las investigaciones más recientes y punteras respecto al sistema nervioso entérico, es decir, respecto al flamante segundo cerebro, no descubren nada que el zen no supiera ya, como ya comenté al principio de este libro. Según el Tao, el intestino delgado digiere tanto los alimentos como las emociones y sus trastornos también están relacionados con situaciones existenciales que no podemos digerir.

Al fin y al cabo el intestino es un órgano de absorción, capacitado para asimilar y recibir lo que necesitamos y preparar lo dañino para su expulsión. El intestino grueso será el encargado de su eliminación (tanto a nivel físico como a nivel emocional).

Los principios y técnicas de la psicología biodinámica Boyesen están cimentados en una larguísima experiencia en cuanto a práctica e investigación científica sobre el segundo cerebro o cerebro intestinal y sobre el flujo natural de la energía vital.

Michael Gerson va más lejos y teoriza sobre la posibilidad de que este segundo cerebro sea la «matriz biológica del inconsciente». Un hilo sorprendente del que habría que tirar.

## PSICOBIÓTICOS: BACTERIAS CONTRA LA ENFERMEDAD MENTAL

En la actualidad los principales estudios en el ámbito de la microbiología han ampliado el foco de atención: no solo se centran en los procesos orgánicos y sus posibles disfunciones, sino también en los procesos mentales y emocionales y sus posibles trastornos. Esto se debe a la toma de conciencia de lo que he venido exponiendo: la actividad de muchos de los microorganismos que nos habitan puede influir –tanto para bien como para mal– en nuestro comportamiento.

Según publicó la Sociedad de Psiquiatría Biológica, el término *psicobiótico* ha sido acuñado por Ted Dinan y su equipo de psiquiatría de la Universidad de Cork, en Irlanda, para denominar a aquellos organismos vivos que ingeridos en cantidades adecuadas producen un beneficio en pacientes que sufren enfermedades mentales. Este equipo ha documentado a partir de sus experimentos con ratas, cómo la actividad de ciertos probióticos –como el *Bifidobacterium infantis*– favorece el correcto desarrollo del sistema serotoninérgico, que como su nombre indica es un sistema compuesto por neuronas sintetizadoras de serotonina. Con estos estudios Dinan y sus colaboradores han aportado la base clínica para profundizar en las posibilidades de los probióticos como tratamiento efectivo en enfermedades mentales y en la necesidad –a la vista de los nuevos hallazgos– de integrar nutrición y psiquiatría.

Se ha demostrado que la disfunción serotoninérgica está directamente relacionada con los trastornos de personalidad, los trastornos afectivos, el alcoholismo, los trastornos de ansiedad, la esquizofrenia, los trastornos de la alimentación, el trastorno obsesivo compulsivo y un largo etcétera. Y ya son muchos los psiquiatras holísticos que informan de remisiones en ciertos casos debidas a un cambio en la dieta y a la suplementación con probióticos, especialmente en pacientes que no respondían a tratamientos farmacológicos convencionales.

Estos psicobióticos pueden actuar sobre nuestro cuerpo como mecanismos que regulan nuestra ansiedad y depresión, y están disponibles no solo en farmacias sino también en nuestra alimentación. El intestino es el mejor lugar para comenzar a modificar estos estados de forma natural.

La neurobióloga Elaine Hsiao, profesora del Instituto de Tecnología de California, consiguió mejorar las conductas autistas en ratones a través de su alimentación. Y lo consiguió alimentándolos con ciertas bacterias que pueblan nuestros intestinos, demostrando así que al cambiar su microbiota intestinal las alteraciones de su conducta autista mejoraban.

Todos los científicos que investigan en el terreno de los psicobióticos coinciden en que todavía queda mucho por explorar pero sin duda estamos ante uno de los grandes temas de la neurociencia clínica de los próximos años, que puede dar lugar a una auténtica revolución.

Tal y como afirmó la propia doctora Hsiao en uno de los incontables seminarios en los que ha participado: «Estamos aprendiendo tanto sobre cómo las bacterias afectan al cerebro y la conducta que los psicobióticos no son ciencia ficción».

## EL AUTISMO: SIGUIENDO LA PISTA INTESTINAL

En los años cuarenta del pasado siglo, un psiquiatra infantil, el austriaco Leo Kanner, comenzó a apreciar en algunos niños que acudían a su consulta unas características concretas y especiales que no encajaban realmente con ningún trastorno psiquiátrico registrado, características que el resto de sus colegas solo acertaban a relacionar con una posible esquizofrenia. La patología era claramente conductual: los once niños con los que comenzó su investigación no presentaban retraso mental y tenían una capacidad de aprendizaje más o menos acorde a su edad, pero habitaban un universo particular y misterioso desconectado por completo del mundo exterior y rechazaban, o ignoraban, la comunicación.

Tras estudiar exhaustivamente a este primer grupo de niños y acotar una serie de síntomas comunes, llegó a la conclusión de que estaba ante una dolencia no diagnosticada hasta ese momento. Bautizó dicha condición como autismo (del latín *autismus* y este del griego *autos*, que significa «uno mismo»), adoptando el término del psiquiatra suizo Eugen Bleuler –quien lo acuñó por primera vez en 1908 para describir a un paciente esquizofrénico que se había replegado por completo en su propio mundo–. La definió como un trastorno mental caracterizado por comportamientos repetitivos y carácter introvertido, rayando lo antisocial, unido a marcadas dificultades en cuanto a comunicación y lenguaje.

En ningún momento se planteó abordar el trastorno desde otro punto de vista que no fuera el psiquiátrico –lo que es del todo lógico en ese contexto porque, por un lado, esa era su especialidad y, por otro, todo apuntaba en esa dirección–. Sin embargo, ya desde aquellos primeros informes, en las fichas de los casos aparecían numerosas referencias a desórdenes digestivos. Las dificultades para alimentar a estos niños, sobre todo de bebés, resultaban tan desesperantes que llegaban a preocupar a los padres más que los problemas de conducta o desarrollo. Estreñimiento crónico, periodos de diarrea aguda, vómitos continuos, intolerancias y alergias alimentarias, problemas de apetito...: la relación entre a y b ya estaba servida, pero la cuestión clave plantea un problema de base a la hora de abordar la investigación de dicha conexión: ¿qué provoca qué? ¿Qué daño se produce en primer lugar? Es decir, ¿qué fue primero, la gallina o el huevo?

A pesar de estas «pistas», en principio ningún investigador concibió que quizás esos trastornos eran la causa y no el efecto. Fue el doctor Bernard Rimland, el psicólogo e investigador fundador y director del Instituto de Investigación del Autismo, quien un par de décadas después entreabrió la puerta a esta posibilidad. Y lo hizo apuntando en realidad hacia otro lado. Lanzó la hipótesis, basada en su extensa experiencia, de que los trastornos del espectro autista podrían no ser un problema psicológico o psiquiátrico, sino más bien neurológico, y que era más que probable que hubiera algún mecanismo biológico subyacente en el desarrollo del autismo. Y aunque, en realidad, no se refería en absoluto a un origen intestinal, al menos hizo girar las miradas hacia un posible origen orgánico. Ya se iban acercando.

En los últimos años del siglo pasado dos investigadores noruegos, Kalle Reichelt y Ann-Mari Knivsberg, documentaron la interesante teoría del «exceso de opio» al encontrar en la orina de individuos con autismo altas concentraciones de dos péptidos –la gliadomorfina y la casomorfina–, sustancias opiáceas producidas por el catabolismo –es decir, la degradación de moléculas complejas a moléculas simples– del gluten y la caseína, respectivamente. Se da la circunstancia de que muchos niños autistas presentan cuadros de intolerancias alimentarias, especialmente al gluten y a los lácteos.

Si hay un problema de intestino permeable, estas sustancias cuya estructura química es muy similar al opio se filtran a la corriente sanguínea y aquella parte que no es excretada puede llegar al cerebro. Pues bien, el síndrome de intestino permeable es un desorden muy común entre los autistas.

Basándose en estos hallazgos, los investigadores sometieron a un grupo de niños autistas a una dieta libre de gluten y caseína durante un año y todos ellos presentaron mejoría en las relaciones sociales y en la capacidad para enfocarse.

Una de las razones por las que cada vez son más los investigadores que consideran el autismo más como desorden sistémico que como desorden mental es el evidente aumento exponencial de los casos de este trastorno en las dos últimas décadas. Actualmente, la tasa de niños con algún trastorno del espectro autista es de uno de cada ciento sesenta y seis –crecimiento alarmante si tenemos en cuenta que hace tan solo cinco décadas la incidencia era del uno por mil–. Estos datos apuntan a factores ambientales y no tanto genéticos.

Los estudios ahora se enfocan no solo en los trastornos de comportamiento sino también en los síntomas físicos. Por ello, la función digestiva –sobre todo en lo concerniente al llamado segundo cerebro– es hoy una de las principales áreas de investigación para determinar las posibles causas subyacentes de muchos trastornos del espectro autista. Y son numerosos los estudios que demuestran que una intervención dietética puede marcar una considerable diferencia.

Los niños que padecen autismo suelen presentar, con respecto a niños no autistas, niveles más altos de bacterias clostridiales que provocan la disminución del número de bacterias amigas, sobre todo de bifidobacterias, y que producen ácido propiónico, tóxico para el cerebro. El doctor Derrick F. MacFabe, investigador de la Universidad de Western Ontario, quien ha dedicado más de diez años de su carrera al estudio de la implicación de las bacterias intestinales en el desarrollo y el funcionamiento cerebral, considera que estas bacterias clostridiales –cuyo alimento favorito son los azúcares refinados– son las causas infecciosas del autismo.

Como indiqué anteriormente, un estudio reciente dirigido por la doctora Elaine Hsiao ha permitido aportar datos más concluyentes en lo que se refiere a la relación entre el desarrollo de trastornos mentales, especialmente el autismo, y la microbiota intestinal. Ya lo dijo Hipócrates: «Toda enfermedad comienza en el intestino».

## APRENDIZAJE, COGNICIÓN, SISTEMA MOTOR Y MEMORIA
### (Para aprender, conocer, moverte y recordar también necesitas a tu intestino)

Además de la serotonina y la glutamina, entre otros, las bacterias intestinales producen otro neurotransmisor vital, el glutamato, que interviene en la mayoría de las actividades de la función cerebral relacionadas con la cognición, la memoria y el aprendizaje. Su déficit es uno de los marcadores asociados al alzhéimer. Y esa no es la única relación sorprendente entre el sistema digestivo y las facultades consideradas mentales. El Centro Médico de la Universidad Rush hizo público el resultado de las investigaciones que lo llevaron a descubrir que la misma proteína que controla el metabolismo de la grasa controla también, desde el hipocampo, la memoria y el aprendizaje. Otro estudio similar fue implementado en el Instituto Salk, en California, a la vista de cuyos resultados uno de sus responsables llegó a afirmar: «Hemos demostrado que los recuerdos se construyen realmente en un andamio metabólico. Si se quiere entender el aprendizaje y la memoria, es necesario comprender los circuitos que son la base y el motor de este proceso».

¿Vamos a dejar escapar este océano de posibilidades?

Uno de estos estudios, realizado con individuos humanos y publicado en la revista *Psychosomatic Medicine*, documenta cómo la principal responsable de las úlceras gastrointestinales –tan generalizadas hoy día en los intestinos «civilizados»–, la *Helicobacter pylori*, parece estar directamente implicada en la merma de las facultades cognitivas asociadas a la edad e incluso en el desarrollo del alzhéimer. Todo parece indicar que la *H. pylori*, una vez que traspasa la barrera intestinal, puede llegar a infiltrarse en el cerebro. Esta bacteria pertenece a ese grupo ambiguo, o polivalente si se prefiere, de bacterias que pueden ser beneficiosas o perjudiciales según el contexto y las circunstancias biológicas. En su cara más amable, cuando está en su nicho ecológico y en la cantidad óptima, es la que se encarga de desintoxicarnos de los metales pesados y ayuda a mantener la mucosa gástrica, pero cuando se siente amenazada (esto puede ser debido a múltiples factores), bien ataca o bien migra hacia el cerebro, produciendo lesiones. La *H. pylori* mantiene activo nuestro sistema inmunitario, que la identifica como invasor, y cuando no está, podemos reaccionar de forma exagerada contra otros atacantes inofensivos, como el polen o las mascotas. Imagínate lo fantástico que sería encontrar la dosis justa y poder controlarla. ¿Estamos ante una posible vacuna natural contra las alergias?

### ¿ENFERMEDADES NEUROLÓGICAS O ENFERMEDADES INTESTINALES? PÁRKINSON Y ALZHÉIMER: ¿DÓNDE COMIENZAN?

Desde siempre se ha considerado el párkinson como un desorden degenerativo que provoca la muerte de las células nerviosas de una determinada zona del cerebro, la llamada sustancia negra, que controla el sistema motor. Hasta hace muy poco se la calificaba como enfermedad de origen desconocido; sin embargo, aunque aún falta mucho por investigar, el enfoque intestinal se está abriendo camino con elocuentes y esperanzadores resultados. Los fuertes trastornos digestivos que la acompañan –y que a veces empiezan a manifestarse incluso antes que los trastornos motrices– pusieron a los investigadores sobre la pista de una nueva hipótesis: el párkinson quizás no solo afecta a las neuronas del cerebro, sino también a las de nuestro sistema nervioso entérico, es decir, a las neuronas de nuestro intestino.

El primer gran paso adelante lo dio durante 2003 el doctor Heiko Braak, neuroanatomista de la Universidad J. F. Goethe, en Frankfurt, quien apoyó la hipótesis –en su día formulada por Michael D. Gerson en su libro *The Second Brain*– de que el párkinson comienza en el sistema nervioso intestinal y que a través de un lento proceso degenerativo llega hasta el tejido cerebral, cuyo deterioro tendría lugar ya en la etapa final del proceso. Esta degeneración progresiva se extiende por el nervio vago (eje, como veíamos en el arranque de este libro, de la conexión intestino-cerebro), de ahí el deterioro de la región cerebral conocida como núcleo motor dorsal del vago. Los problemas intestinales, como he señalado, normalmente aparecen años antes de que se aprecien los primeros trastornos motores. Este orden cronológico documentado invalida, pues, la duda sobre qué es causa y qué es efecto; en el caso del párkinson parece estar claro en qué cerebro comienza todo.

Numerosos profesionales de la medicina tradicional han llegado a esta hipótesis casi por casualidad. Este es el caso del gastroenterólogo australiano Thomas Borody, que de manera accidental se topó con la relación existente entre las bacterias intestinales y el párkinson. Un hombre acudió a su consultorio aquejado de un estreñimiento extremo y tras varios exámenes, el doctor Borody llegó a la conclusión de que la causa de dicho estreñimiento era una infección intestinal causada por la bacteria *Clostridium difficile* y lo sometió a un tratamiento tradicional con antibióticos. Resulta que este paciente padecía párkinson desde hacía cuatro años y para pasmo de todos, al tiempo que desaparecía la infección y mejoraba el tránsito, también algunos de los síntomas del párkinson comenzaban a remitir.

Sorprendido y apasionado, el gastroenterólogo no perdió las siete oportunidades que se le presentaron más adelante –personificadas en siete enfermos de párkinson con infección intestinal– y confirmó aquel hallazgo casual (seis de ellos presentaron una clara mejoría en los síntomas de la enfermedad).

Estos primeros descubrimientos y constataciones fueron solo el principio de una apasionante trayectoria. Actualmente, el doctor Borody es uno de los nombres más conocidos en lo que se refiere a la revolucionaria, aunque incipiente, técnica de los trasplantes fecales, consistente en traspasar heces de un donante sano al colón de un receptor con problemas intestinales. Toda una inyección de bacterias benéficas reclutadas para reinstaurar el equilibrio, una especie de *ejército de pacificación* intestinal muy competente en los procesos inflamatorios desencadenados por disbiosis. Se trata de una técnica innovadora que está pulverizando un buen puñado de prejuicios.

En realidad, el calificativo *innovadora* no es del todo exacto. El trasplante de microbiota fecal ya lo practicaban médicos tradicionales chinos hace casi dos mil años, cuando no tenían ni la más remota idea de la existencia de eso que llamamos microbiota. Y en cuanto a los poderes curativos de las heces, ya en algunas crónicas de la Segunda Guerra Mundial se narra cómo los beduinos del desierto norteafricano recomendaban a los soldados una extraña pero efectiva dieta contra la disentería: excrementos de dromedario.

El secreto de este método consiste en añadir bacterias amigas, millones, en lugar de eliminar las hostiles. Es decir, sustituir los antibióticos por excrementos saludables. Es repugnante, es escatológico, sí, pero resulta efectivo y su potencial es apasionante.

Además, aunque el proceso de selección ha de ser riguroso y hay numerosos factores eliminatorios –desde la obesidad hasta la toma reciente de antibióticos, aparte de los obvios, claro está, como padecer enfermedades infecciosas–, el proceso para el donante es muy sencillo. Basta con que entregue sus excrementos (así, como suena). Para el receptor supone algo bastante más molesto ya que el traspaso se realiza por colonoscopia, enema o sonda nasogástrica, todos ellos procedimientos invasivos y que siempre implicarán cierto riesgo. Sin embargo, no tardarán en llegar las cápsulas. Ya se está investigando y según todos los indicios, las pruebas están muy avanzadas.

En cuanto a resultados, se ha comprobado que en el noventa y cuatro por ciento de los casos de *Clostridium difficile* el microbioma procedente de las heces de un donante sano coloniza el intestino del receptor restableciendo el equilibrio del ecosistema bacteriano y eliminando la infección. En la clínica de Borody ya se han curado docenas de pacientes con colitis y enfermedad de Crohn.

Al hilo de sus primeros hallazgos casuales con respecto al párkinson, este gastroenterólogo australiano ha comenzado a aplicar esta práctica, como terapia frente a esta enfermedad, con resultados muy prometedores –aunque aún considerados anecdóticos– constatados por neurólogos tras revisiones postratamiento. Incluso en 2008, se documentó una remisión total.

Esta incipiente revolución no atañe solo al tratamiento, sino también a los métodos de diagnóstico que apuntan al uso del intestino como ventana para asomarse al cerebro. Entraña muchos menos riesgos una biopsia intestinal que una biopsia cerebral (en realidad, se podría afirmar que la intestinal es completamente segura). En el hospital de Nantes se están utilizando estos métodos desde el año 2006 para diagnosticar el párkinson ante la presencia de síntomas, pero también como examen rutinario en pacientes de riesgo muchos años antes de que comiencen los problemas motrices.

Después de todo lo que hemos visto y explicado sobre la relación entre intestino y emociones, y sobre inflamación y enfermedades mentales, no sería erróneo inferir que los trasplantes fecales pueden llegar a ser efectivos también para combatir trastornos como la depresión o la ansiedad crónica, e incluso el autismo. De hecho, ya empiezan a aparecer en prestigiosas publicaciones los interesantes resultados de los primeros estudios al respecto.

En cuanto al alzhéimer, es fácil llegar a conclusiones similares. El envejecimiento en sí produce una alteración de la microbiota –en realidad el envejecimiento va acompañado de todo tipo de alteraciones orgánicas–. Lamentablemente, a esta alteración de nuestro ecosistema bacteriano que –de momento– podemos considerar natural hay que añadir como ataque adicional los daños provocados por las ingentes cantidades de medicamentos (incluidos antibióticos) que forman parte de la rutina diaria de nuestros ancianos, lo que empeora aún más el estado intestinal.

No es nada de extrañar que la regeneración del intestino, a través de limpiezas y cambios en la alimentación, tenga un efecto rejuvenecedor tanto a nivel mental como a nivel físico. De hecho, las clínicas *antiaging* más prestigiosas arrancan sus tratamientos con una limpieza intestinal. En la actualidad se está contemplando la posibilidad –de hecho, ya se empieza a implementar– de añadir probióticos a la dieta de los mayores para así inhibir la proliferación de patógenos y mantener la homeostasis (conjunto de fenómenos de autorregulación, conducentes al mantenimiento de un relativo equilibrio en la composición y las propiedades del medio interno de un organismo) de la microbiota.

Hoy sabemos que hay hasta tres veces más lipopolisacáridos (toxinas inflamatorias de origen bacteriano) en el plasma de un enfermo de alzhéimer que en el de una persona sana. Esta presencia de LPS en sangre indica no solo inflamación general, sino también permeabilidad intestinal. Ya tenemos, pues, un factor que conecta intestino con alzhéimer, aunque en este caso podríamos caer en el habitual bucle sobre la aparición cronológica de la gallina y el huevo. Afortunadamente, para ir poniendo las cosas en orden, investigadores como la doctora Molly Fox y su equipo de la Universidad de Cambridge dirigen la mirada hacia otros factores que eliminan esta duda referente a causas y efectos. Factores ambientales o poblacionales, por ejemplo. Sus hallazgos son de lo más elocuente. Resulta que en los países con menos higiene la prevalencia de esta enfermedad es notablemente menor que en países con un alto nivel de saneamiento, en los que la cifra va creciendo de manera exponencial en los últimos años. Como ya veíamos al enumerar las causas de la disbiosis, el exceso de higiene es una de ellas: a mayor asepsia menor diversidad de microorganismos intestinales. Otro dato más que apunta hacia estos diminutos habitantes. Si en ellos está el origen, en ellos está la solución.

No hay duda de que la clave reside en el eje cerebro-intestino-microbiota, que marca, de un modo u otro, todo nuestro funcionamiento orgánico. Tal vez algo tan sencillo como cuidar a la inmensa colonia de microorganismos que albergamos nos lleve a erradicar enfermedades, como el alzhéimer, que tanto dolor están generando en cada vez más familias –enfermedades ante cuyo diagnóstico, de momento, solo se nos insta a la resignación.

## NO HAY VIDA SIN SIMBIOSIS

Somos un ecosistema que a su vez habita otro ecosistema. El universo podría ser un interminable juego de muñecas rusas. El ser humano –que ahora sabemos que es más «ser» que «humano»–, en su ciego afán de progreso, está devastando el ecosistema que lo acoge y también, según parece, el microsistema que habita en su interior. Y provocando con ambos despropósitos su propia demencia, preámbulo enloquecido y doloroso de una extinción.

La teoría de la selección natural ha traído mucha confusión, o tal vez lo que ha traído la confusión no sea la teoría en sí sino las interpretaciones reduccionistas que dieron por sentado que la supervivencia del más fuerte tiene que ver con la lucha y el exterminio. Hoy se sabe que la fuerza de ese «más fuerte» reside en su capacidad de cooperación y simbiosis: la naturaleza tiende a la autorregulación y nos muestra este modelo. De manera que la resiliencia es la clave, y la resiliencia depende en gran parte de la comunidad y la cooperación que, como ahora sabemos, son la esencia de la naturaleza misma. Como afirma el doctor en biología celular estadounidense Bruce H. Lipton, «los organismos con mayor capacidad de trabajar conjuntamente son los que sobreviven, pues hacen perdurar el ecosistema».

Si algo me ha quedado claro después de este recorrido es que el poder de una microbiota equilibrada reside en la asombrosa capacidad que poseen las bacterias de actuar en grupo. Son capaces de coordinarse, de comunicarse incluso, a través de un lenguaje específico y de establecer alianzas frente a ataques enemigos y favorecer el desarrollo de especies beneficiosas. La vida, tanto a nivel macro como a nivel micro, es una dura competencia pero a menudo la victoria viene de la mano de la cooperación y de las treguas.

Mi admirado Bruce H. Lipton, pionero en la revolución del pensamiento, lo explica muy bien. Sus palabras me parecen perfectas como colofón a este viaje, sencillo y sin pretensiones, a través de la fascinante conexión intestino-cerebro que tantas puertas entreabiertas deja, puertas que invitan a aquellos que no temen pulverizar certezas limitadoras:

> La evolución comenzó con la bacteria, multiplicándola y creando todo tipo de versiones, pero todas ellas adolecían de esta incapacidad de expandir su membrana; debido a ello, por definición, la evolución se detuvo porque no podía crear una bacteria más inteligente. Sin embargo, la evolución encontró otro camino y ese otro camino se llamó «comunidad». Las bacterias comenzaron a vivir en comunidades, generaron una membrana alrededor de dichas comunidades creando un mundo cerrado. E intercambiaron tareas: ya que había diferentes clases de bacterias, interrelacionaron sus ADN [...]

De manera que nosotros no somos más que una comunidad de billones de microorganismos que formaron una sociedad bajo nuestra piel porque los microorganismos son un elemento vivo. Es decir, nosotros por definición somos una comunidad. Yo no soy un individuo, soy una comunidad, en mi interior habitan billones de ciudadanos.

Nos quedan pues dos opciones: asumir y afrontar nuestro auténtico ser o seguir peleando con fantasmas.

La visión holística o la oscuridad.

# REFERENCIAS

AL-ASMAKH MAHA *et al*. «Gut microbial communities modulating brain development and function». *Gut Microbes*, 2012 (1 de julio) 3 (4) 366-373.

ALLEN-BLEVINS CARY R. *et al*. Milk bioactives may manipulate microbes to mediate parent-offspring conflict. *Evol Med Public Health*. 2015; 2015(1): 106-121.

ANNADORA J. BRUCE-KELLER *et al*. «Obese-type Gut Microbiota Induce Neurobehavioral Changes in the Absence of Obesity». *Biol Psychiatry*. 2015 (1 de abril); 77(7): 607-615.

BISCHOFF STEPHAN C. «"Gut health": a new objective in medicine?». *BMC Med*. 2011; 9: 24.

BOWE WHITNEY P., ALAN C. LOGAN. «Acne vulgaris, probiotics and the gut-brain-skin axis - back to the future?» *Gut Pathog*. 2011; 3: 1.

CABOU CENDRINE, REMY BURCELIN. «GLP-1, the Gut-Brain, and Brain-Periphery Axes». *Rev Diabet Stud*. 2011 (otoño); 8(3): 418-431.

CANDELA MARCO *et al*. «Inflammation and colorectal cancer, when microbiota-host mutualism breaks». *World J. Gastroenterol*. 2014 (enero) 28; 20(4): 908-922.

CANI PATRICE D., CLAUDE KNAUF. «How gut microbes talk to organs: The role of endocrine and nervous routes». *Mol Metab*. 2016 (septiembre); 5(9): 743-752.

CARABOTTI MARILIA *et al*. «The gut-brain axis: interactions between enteric microbiota, central and enteric nervous systems». *Ann*

*Gastroenterol*. 2015 (abril-junio); 28(2): 203-209. Corrección en: *Ann Gastroenterol*. 2016 (abril-junio); 29(2): 240: «El eje intestino-cerebro (GBA por sus siglas en inglés) consiste en la comunicación bidireccional entre el sistema nervioso central y el sistema nervioso entérico, un eje que conecta las áreas emocional y cognitiva del cerebro con las funciones intestinales periféricas. Las investigaciones más recientes describen la importancia decisiva de la microbiota intestinal en esta interacción que parece ser bidireccional y en la que están implicados el sistema neuronal, el sistema endocrino y el sistema inmunitario. En esta revisión reseñamos las evidencias disponibles que demuestran la existencia de estas interacciones, así como los posibles mecanismos patofisiológicos involucrados. La mayor parte de la información ha sido recabada a partir de estudios sobre probióticos, antibióticos e infección realizados con animales libres de gérmenes. En los ensayos clínicos las pruebas que confirman esta interacción microbiota-GBA provienen de la relación entre la disbiosis intestinal y los trastornos del sistema nervioso central (autismo, ansiedad, depresión...) y los trastornos gastrointestinales. En concreto, el síndrome de colon irritable puede ser considerado como una de las consecuencias de la alteración de estas complejas relaciones, y una mejor comprensión de estas alteraciones podría abrir la puerta a nuevas terapias específicas».

Carding Simon *et al*. «Dysbiosis of the gut microbiota in disease». *Microb Ecol Health Dis*. 2015; 26: 10.3402/mehd.v26.26191.

Chen Xiao *et al*. «The role of gut microbiota in the gut-brain axis: current challenges and perspectives». *Protein Cell*. 2013 (junio); 4(6): 403-414.

Conlon Michael A., Anthony R. Bird. «The Impact of Diet and Lifestyle on Gut Microbiota and Human Health». *Nutrients*. 2015 (enero); 7(1): 17-44.

Coss-Adame Enrique, Satish SC Rao. «Brain and Gut Interactions in Irritable Bowel Syndrome: New Paradigms and New Understandings». *Curr Gastroenterol Rep*. 2014 (abril); 16(4): 379.

Crittenden Alyssa *et al*. «Gut microbiome of the Hadza hunter-gatherers». *Nature communications*. 15 de abril de 2014.

De Angelis Maria, Ruggiero Francavilla, Maria Piccolo, Andrea de Giacomo, Marco Gobbetti. «Autism spectrum disorders and intestinal microbiota». *Gut Microbes*. 2015; 6(3): 207-213.

De Palma Giada *et al*. «The microbiota-gut-brain axis in gastrointestinal disorders: stressed bugs, stressed brain or both?». *J Physiol*. 2014 (15 de julio); 592(Pt 14): 2989-2997.

Díaz Heijtz Rochellys *et al*. «Normal gut microbiota modulates brain development and behavior». *Proc Natl Acad Sci USA*. 2011 (15 de febrero); 108(7): 3047-3052.

Distrutti Eleonora *et al*. «Modulation of Intestinal Microbiota by the Probiotic VSL#3 Resets Brain Gene Expression and Ameliorates the Age-Related Deficit in LTP». *PLoS One*. 2014; 9(9): e106503.

Distrutti Eleonora *et al*. «Gut microbiota role in irritable bowel syndrome: New therapeutic strategies». *World J Gastroenterol*. 2016 (21 de febrero); 22(7): 2219-2241.

Dockray Graham J. «Gastrointestinal hormones and the dialogue between gut and brain». *J Physiol*. 2014 (15 de julio); 592 (Pt 14): 2927-2941.

Doré Joël, Magnus Simrén *et al*. «Hot topics in gut microbiota». *United European Gastroenterol J*. 2013 (octubre); 1(5): 311-318.

Emeran A. Mayer *et al*. «Brain Gut Microbiome Interactions and Functional Bowel Disorders». *Gastroenterology*. 2014 (mayo); 146(6): 1500-1512.

Ericsson Aaron C., Craig L. Franklin. «Manipulating the Gut Microbiota: Methods and Challenges». *ILAR J*. 2015 (31 de agosto); 56(2): 205-217.

Evrensel Alper, Mehmet Emin Ceylan. «The Gut-Brain Axis: The Missing Link in Depression». *Clin Psychopharmacol Neurosci*. 2015 (diciembre); 13(3): 239-244.

Farmer Adam D *et al*. «It's a gut feeling: How the gut microbiota affects the state of mind». *J Physiol*. 2014 (15 de julio); 592(Pt 14): 2981-2988: «Todos hemos experimentado de qué manera el estrés y la ansiedad afectan a la función intestinal. Esas experiencias tienen una creciente base científica que ha culminado en el concepto de "eje intestino-cerebro". Sin embargo, hasta hace muy poco no se había reparado en la influencia aún mayor que el intestino ejerce sobre la función cerebral y el comportamiento. Es más, cada vez hay más evidencias científicas de peso que sustentan la hipótesis de que el intestino y las bacterias que en él habitan (que conforman la llamada microbiota) pueden modular el estado de ánimo y la conducta (no obstante, estamos hablando de conclusiones extraídas principalmente a partir de estudios con animales). En estas páginas describimos los componentes de la microbiota y los mecanismos por los cuales esta puede influir en el desarrollo neuronal, la conducta y la nocicepción, y planteamos la excitante posibilidad de que dicha microbiota puede ofrecer un nuevo escenario de intervención terapéutica en un amplio espectro de trastornos no solo gastrointestinales sino también afectivos».

Ferreira Caroline Marcantonio *et al.* «The Central Role of the Gut Microbiota in Chronic Inflammatory Diseases». *J Immunol Res.* 2014: 689492.

Foster Jane A *et al.* «Gut Microbiota and Brain Function: An Evolving Field in Neuroscience». *Int J Neuropsychopharmacol.* 2016 (mayo); 19(5): pyv114: «El supuesto papel que la microbiota intestinal podría jugar en la función cerebral, la conducta y la salud mental ha conseguido atraer la atención de neurólogos y psiquiatras. En el vigésimo noveno Congreso Mundial de Neuropsicofarmacología, celebrado en Vancouver (Canadá), en junio de 2014, un grupo de expertos presentaron el simposio "Microbiota intestinal y función cerebral: relevancia en los trastornos psiquiátricos" con la intención de reseñar los últimos hallazgos sobre cómo la microbiota podría cumplir un papel clave en la función cerebral, el comportamiento y la enfermedad. El simposio abordó un amplio abanico de temas tales como la microbiota intestinal y la función neuroendocrina, la influencia de la microbiota sobre el comportamiento, los probióticos como reguladores del cerebro y el comportamiento y el eje intestino-cerebro en humanos. Este informe es un resumen de las principales aportaciones».

Fröhlich Esther E. *et al.* «Cognitive Impairment by Antibiotic-Induced Gut Dysbiosis: Analysis of Gut Microbiota-Brain Communication». *Brain Behav Immun.* 2016 (agosto); 56: 140-155. Publicado *online* el 23 de febrero de 2016.

Frye Richard E. *et al.* «Gastrointestinal dysfunction in autism spectrum disorder: the role of the mitochondria and the enteric microbiome». *Microb Ecol Health Dis.* 2015; 26: 10.3402/mehd.v26.27458.

Gacias Mar, Sevasti Gaspari *et al.* «Microbiota-driven transcriptional changes in prefrontal cortex override genetic differences in social behavior». *eLife.* 2016; 5: e13442: «Así pues, nuestros resultados demuestran que la microbiota intestinal modifica la síntesis de metabolitos clave, afectando la expresión génica en el córtex prefrontal, y por tanto modulando el comportamiento social».

GALLAND LEO. «The Gut Microbiome and the Brain». *J Med Food*. 2014 (1 de diciembre); 17(12): 1261-1272.

GILBERT JACK A *et al*. «Towards effective probiotics for autism and other mental disorders?» *Cell*. 2013 (19 de diciembre); 155(7): 1446-1448: «El objetivo final de esta investigación obviamente sería hallar un probiótico análogo que pudiera tratar los trastornos del espectro autista. Las pruebas realizadas con ratones a los que se les había inducido químicamente un estado de ansiedad indican que tal vez otras enfermedades mentales pueden estar directamente relacionadas con los metabolitos microbianos en sérum. Si los probióticos como el *Bacteroides fragilis*, que mejoran los metabolitos "perjudiciales" y con ellos las consecuencias neurológicas negativas que los acompañan han resultado relevantes en estudios con ratones, pueden tener implicaciones extraordinarias en la salud mental del ser humano. La activación maternal inmunitaria ha sido relacionada con multitud de estados, entre ellos la depresión y la esquizofrenia (Knight *et al.*, 2007) y varios estudios con animales indican que los probióticos pueden tratar la ansiedad y el trastorno de estrés postraumático. Las terapias específicas basadas en el ámbito microbiano pueden ser la llave para progresar en la lucha contra una amplia gama de enfermedades psiquiátricas especialmente complejas».

GOLDANI ANDRE A. S. *et al*. «Biomarkers in Autism». *Front Psychiatry*. 2014; 5: 100.

GONZÁLEZ ANTONIO *et al*. «The mind-body-microbial continuum». *Dialogues Clin Neurosci*. 2011 (marzo); 13(1): 55-62.

GOYAL MANU S. *et al*. «Feeding the brain and nurturing the mind: Linking nutrition and the gut microbiota to brain development». *Proc Natl Acad Sci USA*. 2015 (17 de noviembre); 112(46): 14105-14112.

GRENHAM SUE *et al*. «Brain-Gut-Microbe Communication in Health and Disease». *Front Physiol*. 2011; 2: 94.

HOLZER PETER, AITAK FARZI. «Neuropeptides and the Microbiota-Gut-Brain Axis». *Adv Exp Med Biol*. 2014; 817: 195-219.

HOUGHTON DAVID *et al*. «Gut Microbiota and Lifestyle Interventions in NAFLD». *Int. J. Mol Sci*. 2016 (abril); 17(4): 447.

HSIAO ELAINE Y. *et al*. «The microbiota modulates gut physiology and behavioral abnormalities associated with autism». *Cell*. 2013 (19 de diciembre); 155(7): 1451-1463.

HUBBARD CATHERINE S. *et al*. «Abdominal Pain, the Adolescent and Altered Brain Structure and Function». *PLoS One*. 2016; 11(5): e0156545.

HYLAND NIALL P. *et al*. «Microbiota-host interactions in irritable bowel syndrome: Epithelial barrier, immune regulation and brain-gut interactions». *World J. Gastroenterol*. 2014 (21 de julio); 20(27): 8859-8866.

JANDHYALA SAI MANASA *et al*. «Role of the normal gut microbiota». *World J Gastroenterol*. 2015 (7 de agosto); 21(29): 8787-8803.

JENKINS TRISHA A. *et al*. «Influence of Tryptophan and Serotonin on Mood and Cognition with a Possible Role of the Gut-Brain Axis». *Nutrients*. 2016 (enero); 8(1): 56.

KABOURIDIS PANAGIOTIS S, VASSILIS PACHNIS. «Emerging roles of gut microbiota and the immune system in the development of the enteric nervous system». *J. Clin Invest*. 2015 (2 de marzo); 125(3): 956-964.

KELLY JOHN R, PAUL J. *et al*. «Breaking down the barriers: the gut microbiome, intestinal permeability and stress-related psychiatric disorders». *Front Cell Neurosci*. 2015; 9: 392. Publicado *online* el 14 de octubre de 2015: «Un número cada vez mayor de ensayos preclínicos indican en términos generales que la microbiota intestinal puede modular el desarrollo y el funcionamiento del cerebro, así como el comportamiento, a través de los canales inmunitario, endocrino y neuronal del eje cerebro-intestino-microbiota. Los mecanismos concretos que subyacen bajo esta interacción no están aún muy claros. En cualquier caso, la hipótesis de que un intestino permeable puede facilitar la comunicación entre la microbiota y dichos canales va ganando terreno. Esta permeabilidad puede ser la base de la inflamación crónica leve que se observa en trastornos como la depresión, y el microbioma intestinal juega un papel clave en la regulación de dicha permeabilidad. En esta revisión argumentamos el posible papel que la microbiota cumple en el correcto funcionamiento de la barrera intestinal y las consecuencias que sufre el sistema nervioso central cuando esta se ve afectada. Para ello nos apoyamos tanto en estudios clínicos como preclínicos que confirman esta hipótesis además de delimitar las características específicas que

necesita reunir una microbiota para asegurar un correcto funcionamiento de la barrera intestinal».
KENNEDY PAUL J *et al*. «Irritable bowel syndrome: A microbiome-gut-brain axis disorder?». *World J Gastroenterol*. 2014 (21 de octubre); 20(39): 14105-14125.
KEUNEN KRISTIN *et al*. «Impact of nutrition on brain development and its neuroprotective implications following preterm birth». *Pediatr Res*. 2015 (enero); 77(1-2): 148-155.
KILKENS T. O. C. *et al*. «Acute tryptophan depletion affects brain-gut responses in irritable bowel syndrome patients and controls». *Gut*. 2004 (diciembre); 53(12): 1794-1800.
KOSTIC ALEKSANDAR D. *et al*. «Exploring host-microbiota interactions in animal models and humans». *Genes Dev*. 2013 (1 de abril); 27(7): 701-718.
KREISINGER JAKUB *et al*. «Interactions between multiple helminths and the gut microbiota in wild rodents». *Philos Trans R Soc Lond B Biol Sci*. 2015 (19 de agosto); 370(1675): 20140295.
LEE KANG NYEONG, OH YOUNG LEE. «Intestinal microbiota in pathophysiology and management of irritable bowel syndrome». *World J. Gastroenterol*. 2014 (21 de julio); 20(27): 8886-8897.
LEUNG KATHERINE, SANDRINE THURET. «Gut Microbiota: A Modulator of Brain Plasticity and Cognitive Function in Ageing». *Healthcare (Basel)* 2015 (diciembre); 3(4): 898-916.
LOUIS PETRA. «Does the Human Gut Microbiota Contribute to the Etiology of Autism Spectrum Disorders?». *Digestive Diseases and Sciences*. 2012 (agosto), 57 (8): 1987-1989.
LUCZYNSKI PAULINE *et al*. «Growing up in a Bubble: Using Germ-Free Animals to Assess the Influence of the Gut Microbiota on Brain and Behavior». *Int. J. Neuropsychopharmacol*. 2016 (agosto); 19(8): pyw020.
LYTE MARK. «Microbial endocrinology: Host-microbiota neuroendocrine interactions influencing brain and behavior. Gut Microbes». 2014 (1 de mayo); 5(3): 381-389: «La habilidad de los microorganismos –ya sean microorganismos comensales dentro de la microbiota o hayan sido introducidos como parte de un régimen terapéutico– para influir en el comportamiento ha sido demostrada por numerosos laboratorios a lo largo de los últimos años. Nuestro conocimiento de los mecanismos responsables de las interacciones que tienen lugar en el eje microbiota-intestino-cerebro es, sin embargo, insuficiente. La complejidad de la

microbiota es, sin duda, un factor determinante. No obstante, a pesar de que los microbiólogos que investigan la influencia del eje microbiota-intestino-cerebro sobre el comportamiento son conscientes de dicha complejidad, lo que a menudo se pasa por alto es la complejidad que a su vez caracteriza al sistema neurofisiológico del anfitrión, especialmente en lo que respecta al intestino, que es inervado por el sistema nervioso entérico. De por sí, al investigar los mecanismos a través de los cuales la microbiota puede influir en el comportamiento, se han de analizar los mecanismos compartidos entre la microbiota y el huésped. Un punto clave en esta comunicación entre reinos es la coincidencia en la producción de mediadores neuroquímicos localizados tanto en eucariotas como en procariotas. El estudio y reconocimiento de aquellos neuroquímicos cuya estructura coincide exactamente con los organismos vertebrados es lo que se conoce como endocrinología microbiana. El análisis de la microbiota desde la perspectiva privilegiada de la interacción neuroendocrina huésped-microbiota no solo ayudaría a identificar nuevos mecanismos a través de los cuales la microbiota influye en el comportamiento del huésped, sino que también podría ser la base para la creación de nuevos procedimientos encaminados a modular la composición de la microbiota con el objetivo de obtener un perfil específico –en lo que a endocrinología microbiana se refiere– beneficioso para el estado anímico y el comportamiento del huésped».

Lyte Mark, Ashley Chapel *et al.* «Resistant Starch Alters the Microbiota-Gut Brain Axis: Implications for Dietary Modulation of Behavior». *PLoS One*. 2016; 11(1): e0146406.

MacFabe Derrick F. «Short-chain fatty acid fermentation products of the gut microbiome: implications in autism spectrum disorders». *Microb Ecol Health Dis*. 2012; 23: 10.3402/mehd.v23i0.19260.

Mandal Rahul Shubhra *et al.* «Metagenomic Surveys of Gut Microbiota». *Genomics Proteomics Bioinformatics*. 2015 (junio); 13(3): 148-158.

Maranduba Carlos Magno da Costa *et al.* «Intestinal Microbiota as Modulators of the Immune System and Neuroimmune System: Impact on the Host Health and Homeostasis». *J. Immunol Res*. 2015: 931574.

Marchesi Julian R. *et al.* «The gut microbiota and host health: a new clinical frontier». Gut. 2016 (febrero); 65(2): 330-339: «En los últimos diez o quince años nuestros conocimientos sobre la composición y funciones de la microbiota intestinal humana han crecido exponencialmente. Esto ha sido debido en gran medida a las nuevas tecnologías ómicas que han facilitado los análisis a gran escala de los perfiles genético y metabólico de la comunidad microbiana, análisis que han revelado que dicha comunidad podría considerarse como un nuevo órgano, y que abren la posibilidad de una nueva línea terapéutica. Es más, sería más ajustado considerarla como un nuevo sistema inmunitario: un grupo de células que trabajan en equipo con el huésped y que pueden preservar la salud, pero también pueden iniciar la enfermedad. En esta revisión actualizamos los últimos hallazgos en el ámbito de los trastornos intestinales, en concreto el síndrome metabólico y las enfermedades relacionadas con la obesidad, las enfermedades hepáticas, la enfermedad inflamatoria intestinal y el cáncer colorrectal. Evaluamos el efecto potencial que la manipulación de la microbiota podría tener sobre estos trastornos y examinamos las evidencias más recientes sobre antibióticos, prebióticos, polifenoles y trasplantes fecales».

Mayer Emeran A. «Gut feelings: the emerging biology of gut–brain communication». *Nat Rev Neurosci*. 2011 (13 de julio); 12(8): 10.1038/nrn3071.

Mayer Emeran A., Kirsten Tillisch. «The Brain-Gut Axis in Abdominal Pain Syndromes». *Annu Rev Med*. 2011; 62: 10.1146/annurev-med-012309-103958.

Mayer Emeran A. *et al*. «Gut/brain axis and the microbiota». *J. Clin. Invest*. 2015 (2 de marzo); 125(3): 926-938.

Mayer Emeran A. *et al*. «Brain Gut Microbiome Interactions and Functional Bowel Disorders. Gastroenterology». 2014 (mayo); 146(6): 1500-1512.

McCarville Justin L. *et al*. «Novel perspectives on therapeutic modulation of the gut microbiota». *Therap Adv Gastroenterol*. 2016 (julio); 9(4): 580-593.

Mertz H. «Role of the brain and sensory pathways in gastrointestinal sensory disorders in humans». *Gut*. 2002 (julio); 51(supl. 1): i29-i33.

Mezzelani Alessandra *et al*. «Environment, dysbiosis, immunity and sex-specific susceptibility: A translational hypothesis for regressive autism pathogenesis». *Nutr Neurosci*. 2015 (mayo); 18(4): 145-161.

Montiel-Castro Augusto J. *et al.* «The microbiota-gut-brain axis: neurobehavioral correlates, health and sociality». *Front Integr Neurosci*. 2013; 7: 70: «Datos recientes apuntan a que el cuerpo humano no es esa eficiente isla autosuficiente que pensábamos. Se trata más bien de un ecosistema supercomplejo conformado por trillones de bacterias y otros microorganismos que habitan en todo nuestro organismo: piel, boca, órganos sexuales... y especialmente en nuestros intestinos. En los últimos tiempos se ha hecho evidente que esta microbiota, en concreto la del intestino, puede influir notablemente en muchos parámetros fisiológicos incluyendo funciones cognitivas como el aprendizaje, la memoria y la toma de decisiones. La microbiota humana es un ecosistema dinámico y diverso que establece una relación simbiótica con su huésped. Ontogenéticamente, este "ecosistema" es transferido verticalmente por la madre en el momento del nacimiento, y horizontalmente se transmite a través de parientes o miembros cercanos de la comunidad. Este microecosistema sirve al huésped protegiéndolo contra los patógenos, metabolizando lípidos complejos y polisacáridos que de otra forma serían nutrientes inaccesibles, neutralizando drogas y carcinógenos, modulando la motilidad intestinal y haciendo posible la percepción visceral. Ahora es evidente que la comunicación bidireccional entre el tracto gastrointestinal y el cerebro a través del nervio vago, lo que se conoce como eje intestino-cerebro, es vital para mantener la homeostasis y puede estar también involucrada en la etiología de varias disfunciones y trastornos metabólicos y mentales. En este texto revisamos las evidencias que muestran la habilidad de la microbiota intestinal para comunicarse con el cerebro y de ese modo modular el comportamiento».

Mu Chunlong, Yuxiang Yang, Weiyun Zhu. «Gut Microbiota: The Brain Peacekeeper». *Front Microbiol*. 2016; 7: 345: «La microbiota regula la homeostasis intestinal y extraintestinal. Las evidencias recabadas hasta el momento sugieren que también regula la función cerebral y el comportamiento. Los resultados obtenidos en pruebas con animales indican que muchos trastornos neurofisiológicos están directamente relacionados con alteraciones en la composición y el funcionamiento de alguno de los componentes de la microbiota, consolidando así la hipótesis del eje microbiota-intestino-cerebro y el papel que la microbiota, como fuerza pacificadora, ejerce en la salud cerebral. En este artículo, analizamos los descubrimientos más recientes sobre su rol en las enfermedades relacionadas con el sistema nervioso central. También tratamos el concepto emergente de la regulación bidireccional entre la microbiota y el ritmo circadiano y el papel potencial que puede jugar la regulación epigenética en el funcionamiento de las células neuronales. Los estudios también están revelando al microbioma como elemento crucial en el desarrollo de nuevas terapias específicas para las alteraciones en el desarrollo neuronal».

Mulak Agata, Bruno Bonaz. «Brain-gut-microbiota axis in Parkinson's disease». *World J. Gastroenterol*. 2015 (7 de octubre); 21(37): 10609-10620.

Mulle Jennifer G. *et al*. «The Gut Microbiome: A New Frontier in Autism Research». *Curr. Psychiatry Rep*. 2013 (febrero); 15(2): 337.

Newell C. *et al*. «Ketogenic diet modifies the gut microbiota in a murine model of autism spectrum disorder». *Mol. Autism*. 2016 (1 de septiembre);7(1):37.

Omotayo O. Erejuwa *et al*. «Modulation of Gut Microbiota in the Management of Metabolic Disorders: The Prospects and Challenges». *Int. J. Mol. Sci*. 2014 (marzo); 15(3): 4158-4188.

Petra Anastasia I. *et al*. «Gut-microbiota-brain axis and effect on neuropsychiatric disorders with suspected immune dysregulation». *Clin Ther*. 2015 (1 de mayo); 37(5): 984-995.

Petrof Elaine O., Alexander Khoruts. «From Stool Transplants to Next-generation Microbiota Therapeutics». *Gastroenterology*. 2014 (mayo); 146(6): 1573-1582.

Pimentel Gustavo D. *et al*. Gut-central nervous system axis is a target for nutritional therapies. *Nutr J*. 2012; 11: 22.

Rajilić-Stojanović Mirjana *et al*. «Intestinal Microbiota And Diet in IBS: Causes, Consequences, or Epiphenomena?». *Am J. Gastroenterol*. 2015 (febrero); 110(2): 278-287.

Rhee Sang H. *et al*. «Principles and clinical implications of the brain-gut-enteric microbiota axis». *Nat. Rev. Gastroenterol Hepatol*. 2009 (mayo); 6(5): 10.1038/nrgastro.2009.35.

Rogers G. B. *et al*. «From gut dysbiosis to altered brain function and mental illness: mechanisms and pathways». *Mol. Psychiatry*. 2016 (junio); 21(6): 738-748.

Sampson Timothy R., Sarkis K. Mazmanian. «Control of Brain Development, Function, and Behavior by the Microbiome». *Cell Host*

*Microbe*. 2015 (13 de mayo) ; 17(5): 565-576. doi: 10.1016/j. chom.2015.04.011.

Sanders Mary Ellen *et al*. «An update on the use and investigation of probiotics in health and disease». *Gut*. 2013 (mayo); 62(5): 787-796.

Santocchi Elisa *et al*. «Gut to brain interaction in Autism Spectrum Disorders: a randomized controlled trial on the role of probiotics on clinical, biochemical and neurophysiological parameters». *BMC Psychiatry*. 2016; 16: 183.

Selkrig Joel, Peiyan Wong, Xiaodong Zhang, Sven Pettersson. «Metabolic tinkering by the gut microbiome: Implications for brain development and function». *Gut Microbes*. 2014 (1 de mayo); 5(3): 369-380: «Numerosas investigaciones realizadas a lo largo de la pasada década demuestran el sorprendente papel que juega el microbioma en el desarrollo y el funcionamiento del cerebro. En este análisis postulamos que las alteraciones de la microbiota intestinal, derivadas de factores nutricionales y ambientales, impactan profundamente en el desarrollo del cerebro y en su funcionamiento».

Smith Carli J. *et al*. «Probiotics normalize the gut-brain-microbiota axis in immunodeficient mice». *Am J Physiol Gastrointest Liver Physiol*. 2014 (15 de octubre); 307(8): G793-G802.

Smith J, Rho JM, Teskey GC. «Ketogenic diet restores aberrant cortical motor maps and excitation-to-inhibition imbalance in the BTBR mouse model of autism spectrum disorder». *Behav Brain Res*. 2016 (1 de mayo); 304:67-70.

Sonnenburg Erica D., Justin L. Sonnenburg. «Starving our Microbial Self: The Deleterious Consequences of a Diet Deficient in Microbiota-Accessible Carbohydrates». *Cell Metab*. 2014.

Steenbergen L. *et al*. «Tryptophan supplementation modulates social behavior: A review». *Neurosci Biobehav Rev*. 2016 (mayo); 64: 346-358.

Stilling Roman M. *et al*. «Friends with social benefits: host-microbe interactions as a driver of brain evolution and development?». *Front Cell Infect Microbiol*. 2014; 4: 147: «La estrecha relación que hoy observamos entre el organismo humano y los trillones de microbios que lo colonizan es el resultado de una larga evolución. Solo muy recientemente hemos comenzado a comprender cómo esta simbiosis afecta a la función cerebral y al comportamiento. En la hipótesis que presentamos en este artículo, planteamos cómo la asociación huésped-microbioma puede influir en la evolución y el desarrollo cerebral de los mamíferos. En concreto, analizamos la integración del desarrollo del cerebro humano con la evolución, la simbiosis y la biología del ARN; los tres vértices del triángulo que rige el comportamiento social y la cognición. Argumentamos, para comprender cómo la comunicación entre ambos "mundos" puede afectar a la adaptación y plasticidad del cerebro, que es inevitable considerar los mecanismos epigenéticos como los principales mediadores en la interacción genoma-microbioma que se da en cada individuo así como a escala transgeneracional. Por último, unimos estas interpretaciones con la teoría de la evolución del hologenoma. Teniendo todo esto en cuenta, proponemos una integración más estrecha entre la neurociencia y la microbiología desde una perspectiva evolutiva».

SUBRAMANIAN SATHISH *et al*. «Cultivating Healthy Growth and Nutrition through the Gut Microbiota». *Cell*. 2015 (26 de marzo); 161(1): 36-48.

THOMAS LINDA V., THEO OCKHUIZEN, KAORI SUZUKI. «Exploring the influence of the gut microbiota and probiotics on health: a symposium report». *Br J Nutr*. 2014 (julio); 112(supl. 1): S1-S18.

TILLISCH KIRSTEN. «The effects of gut microbiota on CNS function in humans». *Gut Microbes*. 2014 (1 de mayo); 5(3): 404-410: «El papel que la microbiota gastrointestinal juega en el desarrollo y el funcionamiento del cerebro es un área que cada vez despierta más interés y en la que cada vez se centran más investigaciones. Ensayos preclínicos indican que la microbiota puede ser un factor determinante en multitud de aspectos de la salud humana, incluyendo el estado anímico, la cognición y el dolor crónico. Los incipientes estudios al respecto sugieren que la alteración de la microbiota con bacterias beneficiosas, o probióticos, puede provocar cambios en la función cerebral, e incluso en el estado de ánimo. A medida que se va comprendiendo mejor la comunicación bidireccional entre el cerebro y la microbiota, es de esperar que estas vías sean exploradas con el objetivo de hallar nuevos métodos de prevención y tratamiento».

TOJO RAFAEL *et al*. «Intestinal microbiota in health and disease: Role of bifidobacteria in gut homeostasis». *World J. Gastroenterol*. 2014 (7 de noviembre); 20(41): 15163-15176.

TORII KUNIO, HISAYUKI UNEYAMA, EIJI NAKAMURA. «Physiological roles of dietary glutamate signaling via gut–brain axis due to efficient digestion and absorption». *J. Gastroenterol*. 2013 (abril); 48(4): 442-451.

USAMI MAKOTO, MAKOTO MIYOSHI, HAYATO YAMASHITA. «Gut microbiota and host metabolism in liver cirrhosis». *World J. Gastroenterol*. 2015 (7 de noviembre); 21(41): 11597-11608.

VELA GUILLERMO *et al*. «Zinc in Gut-Brain Interaction in Autism and Neurological Disorders». *Neural Plast*. 2015: 972791.

WANG YAN, LLOYD H. KASPER. *The role of microbiome in central nervous system disorders*. Brain Behav Immun. 2014 (mayo); 38: 1-12.

WATANABE YOHEI *et al*. «Chronic Psychological Stress Disrupted the Composition of the Murine Colonic Microbiota and Accelerated a Murine Model of Inflammatory Bowel Disease». *PLoS One*. 2016; 11(3): e0150559.

WINEK *et al*. «Depletion of Cultivatable Gut Microbiota by Broad-Spectrum Antibiotic Pretreatment Worsens Outcome After Murine Stroke». *Stroke*. 2016 (mayo); 47(5): 1354-1363.

YANO JESSICA M. *et al*. «Indigenous bacteria from the gut microbiota regulate host serotonin biosynthesis». *Cell*. 2015(9 de abril); 161(2): 264-276. doi: 10.1016/j.cell.2015.02.047.

YARANDI SHADI S. *et al*. «Modulatory Effects of Gut Microbiota on the Central Nervous System: How Gut Could Play a Role in Neuropsychiatric Health and Diseases». *J. Neurogastroenterol Motil*. 2016 (abril); 22(2): 201-212: «El microbioma intestinal es parte integral del eje intestino-cerebro. Cada vez más voces se alzan para declarar que una microbiota intestinal saludable y diversa es importante para los procesos cognitivos y emocionales. Ya se sabía que los estados emocionales alterados así como el estrés crónico pueden modificar la composición del microbioma, pero lo que ahora es cada vez más evidente es que la interacción entre dicho microbioma y el sistema nervioso central es bidireccional. La alteración en la composición de la microbiota podría producir un incremento de la permeabilidad y perjudicar el funcionamiento de la barrera intestinal. Subsecuentemente, los componentes neuroactivos y los metabolitos pueden lograr acceso a áreas del sistema nervioso central que regulan la cognición y las respuestas emocionales. Desequilibrar la respuesta inflamatoria puede activar el sistema vago y alterar las funciones neuropsicológicas. Algunas bacterias producen péptidos o ácidos de cadena corta que pueden afectar a la expresión genética y la inflamación dentro del sistema nervioso central».

ZHANG HUSEN *et al*. «Dynamics of Gut Microbiota in Autoimmune Lupus». *Appl Environ Microbiol*. 2014 (diciembre); 80(24): 7551-7560.

ZHOU LINGHONG, JANE A. FOSTER. «Psychobiotics and the gut–brain axis: in the pursuit of happiness». *Neuropsychiatr Dis Treat*. 2015; 11: 715-723.

# BIBLIOGRAFÍA


ANGELL, MARCIA. *La verdad acerca de la industria farmacéutica*. Grupo editorial Norma, 2006.

ARANGA, TERI; CLAIRE I. VIADRO Y LAUREN UNDERWOOD. *Bugs, Bowels, and Behavior*. Skyhorse Publishing, Nueva York, 2013.

CAMPBELL-MCBRIDE, NATASHA. *Gut and Psychology Syndrome*. Medinform Publishing, Cambridge (Reino Unido), 2015.

DAVIS, WILLIAM. *Sin trigo, gracias*. Editorial Aguilar, Madrid, 2014.

DUFTY, WILLIAM. *The Sugar Blues*. Warner Books, Nueva York, 1975.

ENDERS, JULIA. *La digestión es la cuestión*. Ediciones Urano, Barcelona, 2015.

FIFE, BRUCE. *¡Alto al alzhéimer!* Editorial Sirio, Málaga, 2015.

——. *Vencer al autismo*. Editorial Sirio, Málaga, 2012.

GERSHON, MICHAEL D. – MD. *The Second Brain*. HarperPerennial Publishers, Nueva York, 1999.

GOTTSCHALL, ELAINE. *Romper el círculo vicioso*. Ediciones Universidad de Navarra, 2006.

HERBERT, MARTHA Y KAREN WEINTRAUB. *The Autism Revolution*. Ballantine Books, Nueva York, 2012.

HITZIG, JUAN F. *Cincuenta y tantos: cuerpo y mente en forma aunque el tiempo siga pasando*. Debolsillo, 2005.

KELLMAN, RAPHAEL. *The Microbiome Diet*. Da Capo Lifelong Books, 2015.

KIRSCH, IRVING. *The Emperor's New Drug: Exploding the Antidepressant Myth*. The Bodley Head, Londres, 2009.

LAPORTE ADAMSKI, FRANK. *La revolución alimentaria*. Editorial Sirio. Málaga 2012.

MATVEIKOVA, IRINA. *Inteligencia digestiva*. La Esfera de los Libros, Madrid, 2013.

PERLMUTTER, DAVID. *Alimenta tu cerebro*. Grijalbo, 2016.

PORGES, STEPHEN W. *The Polyvagal Theory*. Norton & Company Publishers, Nueva York, 2011.

SONNENBURG, ERICA Y SONNENBURG JUSTIN. *El intestino feliz*. Editorial Aguilar, Madrid, 2016.

WATSON, GEORGE. *Nutrition and Your Mind: The Psychochemical Response*. Bantam Books, 1973.

# ÍNDICE

321 X 2

642